Musset

Lorenzaccio

drame

Édition présentée, annotée et commentée
par
CLAUDINE NÉDÉLEC
ancienne élève de l'E.N.S.
agrégée des lettres

Collection fondée par Félix Guirand, agrégé des lettres

LAROUSSE

© Larousse 1991.
ISBN 2-03-871343-X

Sommaire

3

La vie de Musset,
un « mécompte des rêves »

Musset en dandy.
Dessin d'Eugène Lanaï.

La vie d'Alfred de Musset pourrait répondre à cette définition du poète Louis Aragon (1897 - 1982) : « ce mécompte des rêves qui mesure, entre l'homme et sa destinée, le terrible fossé moderne ».

Adolescent doué, jeune homme brillant, écrivain « lancé », il n'obtint pourtant pas les succès que ses dons et sa forte participation à la vie littéraire de l'époque lui permettaient d'espérer. Les échecs sentimentaux d'un homme à la fois sensuel et épris de pureté, instable et aspirant à la fidélité, joints à de graves troubles de la personnalité, ne firent qu'assombrir davantage une vie qui semblait promise à toutes les réussites.

11 décembre 1810 : Alfred de Musset naît à Paris, dans une famille aisée de petite noblesse, aux traditions intellectuelles : son grand-père maternel, Guyot - Desherbiers, conteur plein de verve, fréquentait les milieux littéraires et scientifiques de son temps ; son père édita les œuvres complètes de Jean-Jacques

Rousseau, dont il rédigea la biographie. On retrouvera chez Musset l'esprit du XVIIIe siècle et l'influence de Jean-Jacques.

1811 - 1827 : enfance heureuse ; d'intelligence précoce, nerveux, il est choyé par sa mère.

L'entrée au collège Henri-IV à Paris, en 1819, marque une première rupture un peu douloureuse avec le cocon familial. Études secondaires brillantes, conclues par le baccalauréat.

Naissance de la vocation pour l'écriture (théâtrale) : « Je ne voudrais pas écrire ou je voudrais être Schiller ou Shakespeare » (lettre du 23 septembre 1827 à son ami Paul Foucher, futur beau-frère de Victor Hugo). Par ses admirations, Musset se situe déjà dans le courant romantique.

1828 - 1829 : l'adolescent découvre la liberté et les plaisirs. Il commence des études de droit, puis des études de médecine vite abandonnées (mais dont les souvenirs de dissections le marqueront à vie par l'horreur qu'elles lui inspirèrent) ; il est un temps employé par un bureau, mais s'en libère rapidement. Il se refuse, comme un de ses héros, à être « une espèce d'homme particulière ».

Il court les cafés à la mode, fréquente la jeunesse dorée, joue les viveurs raffinés et désinvoltes, voire cyniques (c'est le temps des « dandys », voir p. 253). Aventures, première maîtresse, première trahison...

Mais il fréquente aussi les salons romantiques, celui de Nodier, puis celui de Victor Hugo (le « Cénacle », voir p. 253), où il rencontre Lamartine, Vigny, Mérimée, Sainte-Beuve, Balzac, Théophile Gautier...

Il fait paraître ses premiers textes : *Un rêve* (poème), *l'Anglais mangeur d'opium* (traduction de Thomas de Quincey), et surtout *les Contes d'Espagne et d'Italie,* recueil poétique d'une grande virtuosité technique, et d'un romantisme exacerbé, où les contemporains ne virent pas toujours la part de parodie (voir p. 255).

Ce recueil fait parler de lui, ne serait-ce que parce qu'il crée un scandale dans les milieux littéraires conservateurs : Musset s'est affirmé comme romantique, mais il y a mis aussi suffisamment d'ironie pour ne pas apparaître complètement intégré au mouvement romantique militant.

Juillet 1830 : les Trois Glorieuses ; Charles X est contraint à l'exil, mais les républicains échouent, et Louis-Philippe est déclaré « roi des Français ». Musset a-t-il participé à ces journées révolutionnaires ? Sa mère l'affirma, mais il n'en dit rien.

1830 - avril 1833 : les débuts au théâtre (représentation de *la Nuit vénitienne* en décembre 1830) sont marqués par un échec retentissant, qui incitera Musset à ne plus écrire de pièces que pour des lecteurs (ce qu'il appellera *Un spectacle dans un fauteuil*).

Il commence aussi une carrière de journaliste littéraire, devenue alors presque indispensable aux écrivains (voir les *Illusions*

Prise de la caserne de la rue de Babylone
(Paris, VIIe) le 29 juillet 1830 (détail).
Dessin de Victor Adam (1801-1866). Musée Carnavalet, Paris.

perdues de Balzac) pour assurer leur sécurité financière et leur succès : *Revues fantastiques (le Temps,* janvier - juin 1831), *les Secrètes Pensées de Rafaël (Revue de Paris).* En avril 1833 s'engage une longue collaboration avec *la Revue des Deux Mondes,* ce qui lui permettra de rencontrer George Sand.

1833 - 1835 : liaison orageuse avec G. Sand : « Ils se sont aimés, ils se sont heurtés, ils se sont déchirés, ils se sont enfin exaltés et épuisés dans une fièvre et presque une folie de ruptures et de reprises » (M. Allem, voir p. 251). Période féconde marquée de quelques faits importants : en août 1833, graves hallucinations (dédoublement) lors d'une promenade à Fontainebleau avec G. Sand ; de décembre 1833 à mars 1834, voyage en Italie avec George : Pise, Florence, Venise (où Musset tombe malade et où George le trompe avec le médecin venu le soigner).

Paraissent alors : *Fantasio* (janvier 1834), *On ne badine pas avec l'amour* (juillet 1834), *Lorenzaccio* (seconde livraison d'*Un spectacle dans un fauteuil* en août 1834, qui contient aussi *les Caprices de Marianne*).

1835 - 1839 : après la rupture définitive avec G. Sand, les liaisons éphémères se succèdent.

Musset continue à écrire beaucoup : de cette époque datent ses plus célèbres poésies, *les Nuits* (1835 - 1837) et *la Confession d'un enfant du siècle* (1836). Pourtant, il ne connaît que des demi-succès, et en lui s'aggravent les fêlures.

1840 - 1857 : situation matérielle difficile, tarissement de l'inspiration, graves maladies dues à ses abus, liaisons décevantes, et l'alcool pour oublier l'ennui... Triste fin de vie pour Musset, malgré sa consécration en tant qu'écrivain : légion d'honneur en 1845 ; premier succès au théâtre avec *Un caprice* à la Comédie-Française (1847, mais la pièce date de 1837) ; élection à l'Académie française (1852, mais après deux échecs) ; publication de ses œuvres complètes (1852 : les *Poésies ;* 1853 : les *Comédies et Proverbes*).

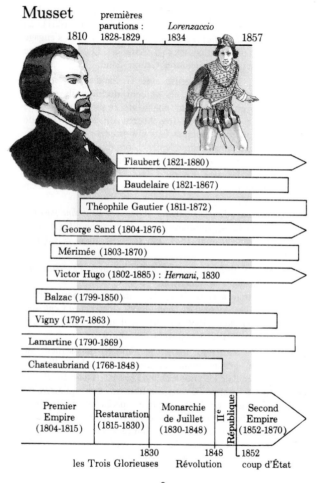

Musset

premières
parutions :   *Lorenzaccio*
1810   1828-1829   1834   1857

Flaubert (1821-1880)

Baudelaire (1821-1867)

Théophile Gautier (1811-1872)

George Sand (1804-1876)

Mérimée (1803-1870)

Victor Hugo (1802-1885) : *Hernani*, 1830

Balzac (1799-1850)

Vigny (1797-1863)

Lamartine (1790-1869)

Chateaubriand (1768-1848)

Premier Empire (1804-1815)	Restauration (1815-1830)	Monarchie de Juillet (1830-1848)	IIᵉ République	Second Empire (1852-1870)

1830   1848   1852
les Trois Glorieuses   Révolution   coup d'État

Lorenzaccio :
un « brimborion »
métamorphosé
en chef-d'œuvre

George Sand avait entrepris, en 1831, parmi ses premiers essais littéraires, de rédiger une « scène historique ». Ce genre, fort en vogue alors, consistait en un épisode historique théâtralisé (sans être cependant destiné à la représentation) mais le plus fidèle possible à la donnée historique.

Elle en avait trouvé le sujet dans la *Storia fiorentina* de Benedetto Varchi (1503 - 1565), écrite à l'instigation de Côme de Médicis (voir p. 12 - 13) par un témoin direct prétendant avoir entendu le récit de la mort d'Alexandre « de la bouche même de Lorenzo » (voir p. 224).

Un sujet dans le vent...

L'époque de la Renaissance est très appréciée du mouvement romantique pour son bouillonnement, ses contrastes, ses violences, sa « couleur ». Shakespeare, joué par une troupe anglaise, vient pour la première fois d'être applaudi à Paris (1828) ; A. Dumas remporte un grand succès mondain et littéraire avec *Henri III et sa cour* (1829) : première victoire de la génération montante contre les conservateurs littéraires avant la « bataille » (et le triomphe) d'*Hernani* (1830). L'Italie, elle aussi, est à la mode. Le voyage en Italie est devenu un parcours obligé des intellectuels, qui se fabriquent, à la lecture de Boccace (1313 - 1375), Pétrarque (1304 - 1374), Dante (1265 - 1321), une image de la Renaissance italienne conforme à leur esthétique : luxe et cruauté, beauté et vices, violences et passions...

... mais vite abandonné

George Sand ne semble guère, en effet, prendre au sérieux cet essai ; elle le décrit très ironiquement dans une de ses lettres : « je travaille à une sorte de brimborion littéraire et dramatique, noir comme cinquante diables, avec conspiration, bourreau, assassin, coups de poignard, agonie, râle, sang,

Portrait de George Sand par Musset, 1833 (détail).

jurons et malédiction. Il y a de tout ça ; ce sera amusant comme tout ». C'est peut-être pourquoi elle abandonne le projet après avoir écrit six scènes, qu'elle oublie dans un tiroir, avant de les « passer » à Musset, au début de leur liaison.

De ce « brimborion » si négligemment traité, qu'elle avait intitulé *Une conspiration en 1537,* Musset va faire *Lorenzaccio*.

La rencontre d'un écrivain, d'un homme et d'un sujet

À défaut de savoir précisément où en était Musset dans sa rédaction au moment du départ pour l'Italie, les spécialistes s'interrogent sur la part de choses vues et d'impressions personnelles dans ce drame né d'abord de sources livresques (certains détails permettent de dire que Musset a relu de très près la *Storia fiorentina*). L'essentiel du texte semble cependant avoir été écrit avant le voyage en Italie avec George, qui, fort mouvementé, ne dut guère lui laisser de loisirs pour écrire ; il ne faut donc pas trop voir ici le reflet des drames de la passion orageuse avec G. Sand, ou des impressions de voyage.

En fait, si Musset s'est si avidement emparé de ce « brimborion », s'il en a fait ce qui passe aujourd'hui pour son chef-d'œuvre, c'est à cause de la rencontre rare entre ses potentialités esthétiques et ses retentissements intimes. Ce sujet lui permettait d'écrire un drame conforme à l'esthétique théâtrale en voie d'être consacrée comme dominante, et faisait écho autant à ses goûts (amour de l'Italie) qu'à de profondes obsessions personnelles : le dédoublement d'une personnalité déchirée entre la corruption et la nostalgie de la pureté ; un pessimisme profond sur la nature humaine, la politique, la société, l'histoire ; la multiplication des voix en un discours éclaté où l'on ne peut différencier le masque et l'être, sans les détruire tous deux.

11

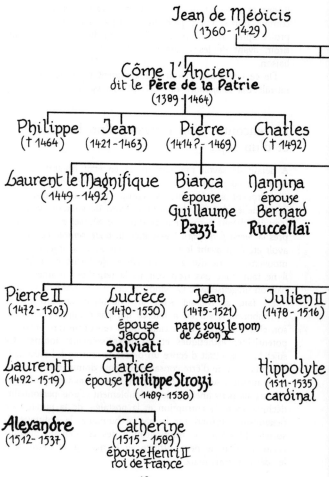

Jean de Médicis
(1360-1429)

Côme l'Ancien
dit le **Père de la Patrie**
(1389-1464)

Philippe
(† 1464)

Jean
(1421-1463)

Pierre
(1414?-1469)

Charles
(† 1492)

Laurent le Magnifique
(1449-1492)

Bianca
épouse
Guillaume
Pazzi

Nannina
épouse
Bernard
Ruccellaï

Pierre II
(1472-1503)

Lucrèce
(1470-1550)
épouse
Jacob
Salviati

Jean
(1475-1521)
pape sous le nom
de Léon X

Julien II
(1478-1516)

Laurent II
(1492-1519)

Clarice
épouse **Philippe Strozzi**
(1489-1538)

Hippolyte
(1511-1535)
cardinal

Alexandre
(1512-1537)

Catherine
(1515-1589)
épouse Henri II
roi de France

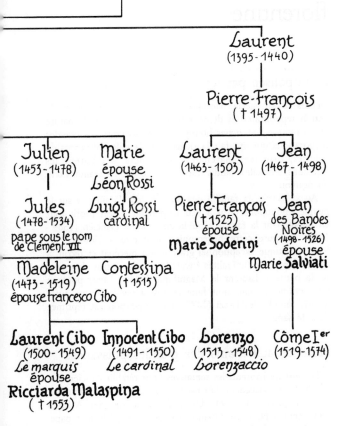

Piccarda de'Bueri

Laurent
(1395-1440)

Pierre-François
(† 1497)

Julien
(1453-1478)

Marie
épouse
Léon Rossi

Laurent
(1463-1503)

Jean
(1467-1498)

Jules
(1478-1534)
pape sous le nom
de Clément VII

Luigi Rossi
cardinal

Pierre-François
(† 1525)
épouse
Marie Soderini

Jean
des Bandes
Noires
(1498-1526)
épouse
Marie Salviati

Madeleine
(1473-1519)
épouse Francesco Cibo

Contessina
(† 1515)

Laurent Cibo
(1500-1549)
Le marquis
épouse
Ricciarda Malaspina
(† 1553)

Innocent Cibo
(1491-1550)
Le cardinal

Lorenzo
(1513-1548)
Lorenzaccio

Côme Ier
(1519-1574)

Une page de l'histoire florentine

Une pseudo-démocratie monopolisée par les Médicis

Depuis le XIIe siècle, Florence vit sous un régime dont la fiction républicaine et démocratique cache, en fait, la nature aristocratique. Les riches bourgeois, représentants des grandes corporations qui ont fait la richesse de la ville, fabricants de soieries, orfèvres, marchands, banquiers, accaparent les fonctions officielles, tandis que le peuple est, en réalité, exclu du pouvoir.

Au XVe siècle, la famille des Médicis, en s'appuyant sur le peuple, monopolise peu à peu le pouvoir à son profit tout en maintenant la façade républicaine. Côme l'Ancien (1389 - 1464) inaugure cette hégémonie : il donne à Florence un lustre artistique exceptionnel grâce à son mécénat et reçoit, à sa mort, pour ses libéralités envers le peuple, le titre de « père de la patrie ». Laurent le Magnifique (1449 - 1492) poursuit cette politique, mais doit faire face à la révolte d'une autre grande famille, les Pazzi (1478). La conjuration est réprimée dans le sang.

Florence aux mains des grandes puissances

À la mort de Laurent, les tentatives pour rétablir l'ancien état de choses se succèdent. Un nouveau régime démocratique est mis en place en 1494. En 1512, toutefois, les Médicis reviennent à Florence. Quand Jean de Médicis devient pape, sous le nom de Léon X, Florence n'est plus qu'un pion dans

Le pape Clément VII et Charles Quint.
Fresque de Giorgio Vasari (1511-1574).
Palazzo Vecchio, Florence.

le jeu politique que dirigent le pape et l'empereur Charles Quint contre la France, alliée traditionnelle de la ville.

En 1527, nouvelle tentative des Florentins pour restaurer leurs libertés. Mais la ville est assiégée par les troupes du pape Clément VII (Jules de Médicis), appuyées par celles de Charles Quint : elle doit signer sa Capitulation en 1530.

Les termes de la Capitulation

La Capitulation instaure Alexandre de Médicis, dernier de la branche aînée (mais bâtard), duc de Florence, brisant ainsi la fiction démocratique. En échange, elle promet de maintenir la liberté des citoyens et de faire sortir l'armée du territoire. Ces clauses ne sont guère respectées : Clément VII construit, pour les troupes allemandes, une forteresse (1534), Alexandre gouverne avec brutalité, multipliant les bannissements, et suscite la colère des Florentins par ses débauches.

Mort inutile d'un tyran

Alexandre est assassiné le 6 janvier 1537 par son compagnon de débauche, Lorenzo de Médicis (Lorenzaccio), issu de la branche cadette (il descend du frère de Côme l'Ancien). Mais les républicains ne savent pas en profiter et laissent élire — à l'instigation du cardinal Cibo et d'un ancien conseiller d'Alexandre — un cousin de Lorenzo dans la branche cadette : Côme de Médicis.

La mort d'Alexandre n'a politiquement rien changé : Côme se montre soumis à Charles Quint et écrase la révolte des républicains menée par les Strozzi.

Mort du meurtrier

Lorenzo, pendant ce temps, avait en effet rejoint Philippe Strozzi, un des chefs des républicains, exilé à Venise. Ce dernier lève des troupes contre Florence, mais il est battu en août 1537. La tête de Lorenzo est alors mise à prix par Côme : il part pour Constantinople, puis gagne la France, essayant de susciter une coalition pour attaquer la puissance impériale en Italie. Il revient en Italie, à Venise (en 1544) où il est assassiné par les agents de Côme en 1548.

Histoire et fiction théâtrale

Les commentateurs soulignent généralement la précision et la richesse de l'information historique de Musset. Cette exactitude est encore accentuée par l'apparition des faits historiques pour ainsi dire « naturellement », au ras du dialogue, comme des faits divers : l'histoire paraît ainsi d'autant plus réelle qu'elle est vécue au niveau individuel, noyée dans le temps quotidien.

Anachronismes voulus

Cependant, sans tricher avec l'histoire, Musset ruse avec elle. Il se montre d'abord soucieux, par des anachronismes calculés, que l'« exotisme » du temps et de l'espace ne cache pas la portée contemporaine du drame : la leçon de cette histoire-là est une leçon de l'Histoire pour la société du XIXe siècle, et les États modernes.

Telle est la fonction de la mention du chocolat ou de la limonade (présents tous deux pour leurs connotations « bourgeoises ») et surtout de l'évocation du « bonnet de la liberté » ou des signes vestimentaires de ralliement des républicains.

Personnages réels ou imaginaires ?

Des personnages historiques bien connus ou importants comme Benvenuto Cellini ou Guicciardini (qui joua en fait un rôle politique prépondérant dans la république de Florence) n'apparaissent, dans la pièce, que comme des silhouettes (acte I, sc. 5 et acte V, sc. 1), tandis que d'autres, plus effacés dans la réalité, sont portés au premier plan.

Les caractéristiques connues des personnages historiques sont souvent modifiées pour leur donner une dimension symbolique. Par exemple, il faut percevoir tout ce que « Malaspina » (« mauvaise épine », en latin) porte de signification symbolique pour comprendre pourquoi Musset (qui s'est intéressé d'assez près au nom de ses personnages pour n'avoir pas ici commis d'erreur involontaire) attribue ce nom-là, à ce moment-là, au personnage du cardinal Cibo alors qu'il s'agit en fait du nom de jeune fille de la marquise, sa belle-sœur. Par ailleurs, Musset mêle habilement formes francisées et consonances italiennes.

Si Baccio Valori est, dans la fiction, cardinal alors qu'il ne l'était pas historiquement, c'est sans doute pour offrir un double contrasté du cardinal Cibo ; ils incarnent ainsi le prêtre honnête et le prêtre corrompu.

Si Musset a vieilli Philippe Strozzi et en a fait un patriarche soucieux avant tout de ses enfants, c'est pour lui donner le statut du père noble de la tragédie face à Lorenzo, à qui il peut servir ainsi de confident, de repoussoir (il est celui qui ne sait pas agir), d'image paternelle à la fois respectée et rejetée.

Concentrations et distorsions temporelles

Musset concentre les faits sur quelques jours, bien que le drame romantique (voir p. 235) lui laisse la liberté de la durée. Le bal de noces des Nasi (début de 1533), l'affaire Salviati (mars 1533), la mort de Louise Strozzi (fin de 1534), la liaison de la marquise Cibo (été de 1535), le meurtre d'Alexandre (1537), l'attentat contre l'évêque de Fano (1538), la mort de Lorenzo (1548), la mort de sa mère... plus de 20 ans d'événements ramassés dans ces quelques jours ! Jours qui joignent à la mort du duc (dans la nuit du 6 au 7 janvier) le carnaval (I, 2 : « le carnaval a été rude » alors qu'il ne commence que le 1er dimanche de janvier ; l'affaire du ballon avait eu lieu la veille de Noël) ainsi que la foire de Montolivet (qui se déroulait tous les vendredis du mois de mars).

Bien que les personnages parlent sans cesse du temps quotidien et vivent (Lorenzo le premier) dans la fièvre du lendemain, il est impossible de dresser une chronologie précise de la succession des scènes. Chaque intrigue a un tempo différent où le temps est plus une donnée psychologique (nostalgie du passé, angoisse du futur, présent de l'échec ou de l'attente) ou symbolique qu'un élément de réalisme.

Histoire et fiction ont dans *Lorenzaccio* une relation et une fonction particulières : la réalité historique des faits sert à garantir l'exactitude de l'analyse politique qui conduit Musset à conclure que tout engagement est à la fois corrupteur et inutile.

18

Histoire et actualité

H. Fortoul écrit, à propos de *Lorenzaccio* dans *la Revue des Deux Mondes* (1ᵉʳ septembre 1834) : « Ces marchands se laissent escamoter la République, à peu près aussi imprudemment qu'on l'a fait ces temps derniers. » Laffitte et Thiers n'avaient-ils pas ramené des environs de Paris le cousin du roi, le duc d'Orléans, après avoir intrigué en sa faveur, prétendant qu'il serait « la meilleure des républiques » ?

Vent de liberté et agitation républicaine

De 1830 à 1835, l'aspiration des peuples à la liberté et à la démocratie est sensible dans toute l'Europe. La Grèce vient de mener une guerre de libération nationale contre les occupants turcs, soutenue par tout le mouvement romantique européen. L'Italie cherche à se libérer du joug du pape et de l'Autriche.

En France, les républicains se résignent mal à leur échec de 1830 : Paris vit dans un climat d'émeute et de complots, qui culmine lors de l'enterrement du général Lamarque (5 juin 1832), où l'émeute populaire est écrasée (voir V. Hugo, *les Misérables*). Une tentative d'attentat contre Louis-Philippe échoue en novembre 1832. En 1833, le gouvernement, pour l'anniversaire des Trois Glorieuses, prépare des réjouissances publiques et... des mesures de police contre les républicains.

Tous ces mouvements ont laissé une trace profonde dans l'atmosphère et les débats de la pièce : émeute larvée avec de brusques flambées (I, 5 ; IV, 1 ; V, 5 et 6 — scène supprimée en 1853, voir p. 231) ; tyrannicide ; et surtout analyse politique, pleine d'amertume et de désespoir.

Liberté ? Un mot qui fait rêver

Les peuples aspirent à la liberté, et le mot « république » les fait rêver. « Et quand ce ne serait qu'un mot, c'est quelque chose, puisque les peuples se lèvent quand il traverse l'air » (II, 1). Mais sont-ils capables de lutter pour cette liberté ? comment l'obtenir ? et la méritent-ils ? L'Histoire n'est-elle pas un éternel recommencement de l'oppression ?

Résistances impuissantes

La leçon politique de *Lorenzaccio* est d'un pessimisme radical, puisque cette pièce montre l'échec de tous les discours et de tous les gestes politiques qui tentent de renverser le despotisme, seul à perdurer malgré toutes les révoltes et les résistances, impuissantes.

La marquise Cibo veut moraliser la tyrannie en apportant le bonheur au peuple, instituer une monarchie « éclairée » ; Philippe Strozzi souhaite, sans vraiment y travailler, une révolution sans violence, constitutionnelle, au nom du bonheur des peuples ; son fils Pierre, ambitieux, recherche le pouvoir pour lui-même, prêt à devenir un autre tyran, appuyé par l'étranger au besoin ; la moyenne bourgeoisie opprimée hésite entre l'émeute et la soumission, suivant que ses intérêts matériels ou moraux sont plus ou moins protégés.

La tyrannie et ses moyens de gouvernement

Face à ces résistances, Alexandre de Médicis utilise des techniques d'oppression : terreur, délation, prébendes (c'est-à-dire qu'il alloue arbitrairement titres et revenus à ceux qui ont gagné sa faveur), corruption physique et morale des élites, soutien d'armées étrangères, etc. La débauche sert « d'entremetteuse à l'esclavage, et secoue ses grelots sur les sanglots du peuple » (I, 3).

Le cardinal Cibo, agent de l'Église, partisan du maintien de « l'ordre » social, recherche, par tous les moyens, une influence secrète sur la tyrannie. S'il laisse faire le meurtre (après avoir échoué dans sa tentative pour faire de la marquise son instrument), c'est pour faire élire un prince plus docile (il suffit de comparer l'attitude du duc envers le pape à la docilité affichée par Côme).

Musset dresse ainsi un inventaire de toutes les attitudes politiques sous un régime tyrannique. Il tend à démontrer qu'aucune révolution n'est possible, par le machiavélisme des uns et l'incurie des autres. Car le peuple, Philippe Strozzi, la marquise Cibo, Pierre Strozzi ne font que parler et s'agiter en vain. Ils ne sauront même pas profiter du seul véritable acte de la pièce : le meurtre du duc par Lorenzo.

Lorenzaccio : l'autopsie d'un nouveau Brutus

Un tyrannicide

Lorenzo ne cesse d'en appeler au modèle de Brutus, confondant d'ailleurs, volontairement, les deux Brutus de l'histoire romaine : le Brutus qui, simulant la folie, réussit à échapper au roi Tarquin le Superbe, puis à le chasser pour établir la république en 509 av. J.-C. ; et le Brutus, fils adoptif de Jules César, qui, par amour de la république menacée, participa, en 44 av. J.-C., à l'assassinat de celui-ci. Étrange fantaisie de l'Histoire, que ce même nom pour deux personnages dont l'un a réussi, sans tuer, et l'autre a tué sans réussir (car le meurtre de Jules César n'empêcha pas la mort de la république) ; qui tous deux ont vécu dans l'intimité du tyran avant de le renverser, qui tous deux ont dû user de dissimulation pour parvenir à leurs fins...

Or Lorenzo est cousin d'Alexandre ; il est même d'une lignée plus légitime (voir p. 12-13). Il a formé autrefois le projet de tuer un des tyrans de l'Italie, il a décidé de devenir un Brutus.

Les mains sales

Mais, pour parvenir jusqu'à Alexandre, il lui a fallu, à lui pur « comme l'or », « comme un lis » (III, 3), devenir l'instrument d'une politique de corruption et de délation, se souiller les mains et le cœur. Et ce qui n'était qu'un masque est devenu sa chair même : « le vice a été pour moi un vêtement, maintenant il est collé à ma peau » (III, 3).

Lorenzaccio apparaît ainsi comme le drame d'une conscience déchirée, en proie à l'obsession du meurtre qui seul donnerait sa justification à sa corruption, mais en fait incapable de croire à cette justification. D'abord, parce que ce meurtre ne pouvait se justifier que comme l'acte d'une conscience pure, pouvant l'ériger en impératif moral ; or la conscience qui le commet a perdu sa pureté, et l'exécution du tyran n'est plus qu'un meurtre banal, injustifié.

La monstrueuse vérité

Ensuite, parce que Lorenzo, en se dépravant, a découvert que les hommes pour lesquels il a conçu ce meurtre sont complices de leur esclavage, aussi dépravés que le tyran, ou, quand ils ne le sont pas, incapables d'agir, parleurs de paroles vaines...

Ainsi l'adolescent pur s'est-il rendu compte que toute intégration dans ce monde impur et corrompu est perversion et que rien, pas même ce meurtre, ne peut lui permettre d'entrer intact dans le monde adulte. Pour le héros tragique, il n'y a pas de réconciliation possible entre le désir individuel et le rôle que la communauté, telle qu'elle existe historiquement, l'invite à assumer : il ne peut donc qu'être condamné. Le meurtre, commis quand même, au lieu de lui permettre de fonder une conscience réunifiée, ne fera que le vider, le réduire à un corps (déjà) mort.

Un drame psychologique ?

Lorenzaccio n'est pas un drame psychologique en ce sens que rien n'évolue réellement chez Lorenzo : peu à peu se dévoile un personnage ambigu, qui est donné à voir d'abord par le regard des autres, puis par sa parole. En même temps, celui-ci accomplit la préparation matérielle et morale de son acte. Mais, au lever du rideau, tout était déjà là, et rien ne se transforme en lui, pas même par le meurtre.

Cette immobilité psychologique derrière l'apparente

23

progression est à mettre en parallèle avec l'immobilisme social et politique représenté ici derrière les bouillonnements, l'agitation, les flots de paroles des agents sociaux : le meurtre même ne sert à rien, et tout le monde le sait dès le début.

Lorenzaccio n'est pas seulement le drame d'un homme : c'est celui de l'humanité incapable de fonder une société juste, malgré tous les humanistes honnêtes comme Philippe Strozzi et malgré tous les Brutus.

L'art comme salut ?

Beaucoup de commentateurs ont pensé que le personnage du peintre, Tebaldeo, représentait le seul salut, la seule issue possible au désespoir : l'art.

Mais il faut mettre sa théorie (Musset utilise ici des positions défendues par Diderot, puis par Chateaubriand) en relation avec ses actes : il refuse de peindre une courtisane, mais accepte de faire le portrait d'Alexandre. Et, s'il fait de belles phrases, il n'est guère éloigné des deux précepteurs ridicules ; comme eux, il adopte une posture individualiste de retrait (il chante, et eux s'occupent de sonnets, tandis que Florence est « noyée de vin et de sang » — III, 3) ; comme eux, il refuse de s'engager. Or ce refus ne peut être innocent : il mène à toutes les compromissions (« vous serez peut-être étonné que moi, qui ai commencé par chanter la monarchie en quelque sorte, je semble cette fois chanter la république » — V, 5), et à toutes les complaisances (« les familles peuvent se désoler, les nations mourir de misère, cela échauffe la cervelle de monsieur » — II, 2).

L'art lui-même risque fort de n'être que paroles vaines, comme les vers du précepteur, fort beaux, mais parfaitement dérisoires (V, 5) :

« Chantons la Liberté, qui refleurit plus âpre... »

Une pièce moderne

Le problème de l'engagement, les risques de l'action politique, l'aspiration à la liberté des peuples constamment bafouée par l'oppression, le rôle de l'art vis-à-vis de l'État, les justifications du terrorisme ainsi que, aussi, le soupçon et le désespoir finalement vainqueurs : toutes ces questions font de *Lorenzaccio* une pièce profondément moderne et profondément politique.

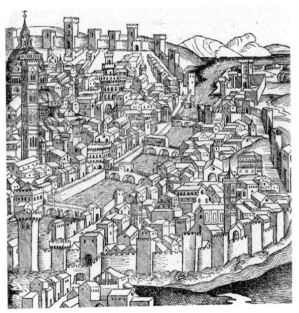

Florence au XVe siècle.
Gravure extraite de la *Chronique de Nuremberg* de Schedel, 1493.

Le mouvement romantique est un mouvement littéraire concerné par la politique, et Musset, tout en se tenant à l'écart de tout engagement, partageait (en 1833 en tout cas) cette opinion de V. Hugo : « Il y a beaucoup de questions sociales dans les questions littéraires, et toute œuvre est une action. » (Préface de *Lucrèce Borgia,* février 1833.)

Lorenzaccio échappe pourtant à l'abstraction d'une pièce « à thèse », grâce à la charge émotionnelle des personnages qui souffrent et se débattent dans leurs espérances vaines et leurs contradictions, et grâce à la « présence » de Florence, elle-même personnage, vivant objet de relations passionnées.

Structures de *Lorenzaccio* : un savant entrecroisement

Trois intrigues se mêlent dans la pièce de Musset : l'intrigue Lorenzo, l'intrigue Strozzi, l'intrigue Cibo. En symbolisant chacune de ces intrigues par une lettre (L pour Lorenzo, S pour Strozzi, C pour Cibo), on peut dresser ce schéma qui montre leur parfait entrecroisement :

— acte I : sc. 1 = L ; sc. 2 = S ; sc. 3 = C ; sc. 4 = L ; sc. 5 = S ; sc. 6 = L.

— acte II : sc. 1 = S ; sc. 2 = L ; sc. 3 = C ; sc. 4 = L ; sc. 5 = S ; sc. 6 = L ; sc. 7 = S.

— acte III : sc. 1 = L ; sc. 2 = S ; **sc. 3 = S + L** ; sc. 4 = L ; sc. 5 et 6 = C ; sc. 7 = S.

— acte IV : sc. 1 = L ; sc. 2 = S ; sc. 3 = L ; sc. 4 = C ; sc. 5 = L ; sc. 6 = S ; sc. 7 = L ; sc. 8 = S ; sc. 9 à 11 = L.

— acte V : **sc. 2 = S + L** ; sc. 3 = C ; sc. 4 = S ; **sc. 6 = S + L.**

La scène centrale est constituée par la très longue discussion de Philippe Strozzi et de Lorenzo, seuls personnages réellement en sympathie, au point de se retrouver conjoints dans l'échec et le désespoir à l'acte V.

Dans l'acte V, trois scènes (1, 5 et 7) n'appartiennent à aucune intrigue, car ce sont celles où triomphent les personnages qui ont agi dans l'ombre, pour le pape et l'empereur, en utilisant l'inertie des Florentins : ces scènes prennent ici le visage du destin.

L'intrigue Cibo

Six scènes développent l'intrigue Cibo : acte I, sc. 3 ; acte II, sc. 3 ; acte III, sc. 5 et 6 ; acte IV, sc. 4 ; acte V, sc. 3.

Ricciarda Cibo devient la maîtresse du duc ; par attirance physique ? par désir d'agir sur le tyran pour la liberté et le bonheur du peuple de Florence ? Autour d'elle tourne le cardinal Cibo, pour qui cette intrigue serait l'occasion de gagner une influence secrète sur Alexandre. Mais Ricciarda, devant l'indifférence du duc à ses rêves politiques, refusant de servir d'instrument à la politique du cardinal (c'est-à-dire du pape), révèle tout à son mari, qui pardonne : retournée à la médiocrité bourgeoise, Ricciarda sort du drame, et de l'Histoire.

L'intrigue Strozzi

Comme la précédente, cette intrigue concerne deux personnages apparemment faits pour s'entendre, en fait antagonistes : Philippe et Pierre Strozzi (le père et le fils). Elle se déroule en treize scènes :

— acte I, sc. 2 et 5 : outrages de Salviati à Louise Strozzi, la fille de Philippe, provocation envers Léon Strozzi ;

— acte II, sc. 1, 5 et 7 : vengeance sanglante des fils Strozzi ;

— acte III, sc. 2, 3 et 7 : les fils Strozzi sont arrêtés, Philippe veut agir, Lorenzo l'en dissuade en lui révélant ses projets ; Louise est empoisonnée ;

— acte IV, sc. 2, 6 et 8 : les fils Strozzi sortent de prison. Philippe, désespéré, se refuse à agir et quitte Florence, Pierre se lance dans une action individualiste et brouillonne, après s'être fâché avec son père ;

— acte V, sc. 2, 4 et 6 : Philippe assiste impuissant à l'échec et à la mort de Lorenzo, Pierre ne songe qu'à son ambition personnelle.

L'intrigue Lorenzo

C'est la plus importante, puisqu'elle occupe dix-huit scènes : acte I, sc. 1, 4 et 6 ; acte II, sc. 2, 4 et 6 ; acte III, sc. 1, 3 et 4 ; acte IV, sc. 1, 3, 5, 7, 9, 10 et 11 ; acte V, sc. 2 et 6.

Ici, le dédoublement est intériorisé : Lorenzo est un être double (au point d'avoir un spectre : II, 4) déchiré entre le pur et l'impur. L'accomplissement du meurtre est devenu pour lui une tentative de réunification tout autant que de libération de Florence.

Deux parties équilibrées dans son histoire : jusqu'à la scène 3 de l'acte III, par le regard des autres, nous assistons aux gestes ambigus d'un être étrange, dont le nom même est incertain (Lorenzo, Lorenzaccio, Renzo, Renzino, Renzinaccio, Lorenzetta...). Ensuite, cet être adopte une parole de vérité (dialogue avec Philippe, monologues) tandis que la préparation matérielle et psychologique du meurtre dont il a révélé le projet (III, 3) se précipite (jusqu'à la scène 11 de l'acte IV). Une fois le meurtre commis, l'acte V est un bilan, un constat d'échec : il n'a servi à rien, ni pour Lorenzo ni pour Florence.

Alfred de Musset,
« Charmant, jeune, traînant tous les cœurs après soi... »
(*Phèdre,* Racine). Médaille gravée en 1831 par David d'Angers.
Musée du Louvre, Paris.

Lorenzaccio

drame
publié en 1834
et représenté pour la première fois
en décembre 1896

Personnages

Alexandre de Médicis, *duc de Florence.*

Lorenzo de Médicis (Lorenzaccio)
Côme de Médicis   *ses cousins*[1].

Le cardinal Cibo.

Le marquis Cibo, *son frère*[2].

Sire Maurice, *chancelier des Huit*[3].

Le cardinal Baccio Valori, *commissaire apostolique*[4].

Julien Salviati.

Philippe Strozzi.

Pierre Strozzi
Thomas Strozzi   *ses fils.*
Léon Strozzi, *prieur de Capoue*

---

1. *Ses cousins :* Alexandre est le dernier représentant mâle de la branche aînée, issue de Côme de Médicis (1389 - 1464), Lorenzo et son cousin Côme les derniers de la branche cadette, issue du frère de Côme, Laurent (1395 - 1440). [Pour tout ce qui concerne les liens de parenté entre les personnages, voir l'arbre généalogique p. 12-13.] Musset regroupe en tête les trois personnages essentiels du drame politique.
2. Le cardinal Cibo et le marquis, son frère, sont les fils de Madeleine de Médicis épouse Cibo, fille de Laurent le Magnifique. Le cardinal est le représentant officieux du pape auprès d'Alexandre.
3. *Huit :* ce conseil, renouvelé tous les six mois, avait à juger des crimes politiques.
4. Ce noble Florentin, partisan des Médicis, avait été envoyé par le pape Clément VII à Florence dès 1529 pour le représenter auprès de l'armée chargée d'en faire le siège. Musset commet quelques imprécisions historiques sur ce personnage.

Roberto Corsini, *provéditeur de la forteresse*[1].

Palla Ruccellaï,
Alamanno Salviati   *seigneurs républicains.*
François Pazzi

Bindo Altoviti, *oncle de Lorenzo.*

Venturi, *bourgeois.*

Tebaldeo, *peintre.*

Scoronconcolo, *spadassin*[2].

Les Huit.

Giomo le Hongrois, *écuyer du duc.*

Maffio, *bourgeois.*

Marie Soderini, *mère de Lorenzo.*

Catherine Ginori, *sa tante.*

La marquise Cibo.

Louise Strozzi.

Deux dames de la cour et un officier allemand. Un orfèvre, un marchand, deux précepteurs et deux enfants, pages, soldats, moines, courtisans, bannis, écoliers, domestiques, bourgeois[3], etc.

---

1. *Provéditeur de la forteresse* : gouverneur, chef des troupes d'occupation imposées par Charles Quint pour assurer l'autorité d'Alexandre.
2. *Spadassin* : homme d'épée, tueur à gages.
3. Cette liste des personnages est incomplète. Il y a plus de 40 personnages parlants dans *Lorenzaccio*.

Affiche de Mucha pour la première de *Lorenzaccio* en 1896, représentant Sarah Bernhardt. Bibliothèque Forney, Paris.

Acte premier

SCÈNE PREMIÈRE.

Un jardin. — Clair de lune ; un pavillon dans le fond, un autre sur le devant.

Entrent LE DUC *et* LORENZO, *couverts de leurs manteaux ;* GIOMO, *une lanterne à la main.*

LE DUC. Qu'elle se fasse attendre encore un quart d'heure, et je m'en vais. Il fait un froid de tous les diables.

LORENZO. Patience, Altesse, patience.

LE DUC. Elle devait sortir de chez sa mère à minuit ; il est
5 minuit, et elle ne vient pourtant pas.

LORENZO. Si elle ne vient pas, dites que je suis un sot, et que la vieille mère est une honnête femme.

LE DUC. Entrailles du pape[1] ! avec tout cela je suis volé d'un millier de ducats !

10 LORENZO. Nous n'avons avancé que moitié. Je réponds de la petite. Deux grands yeux languissants, cela ne trompe pas. Quoi de plus curieux pour le connaisseur que la débauche à la mamelle ? Voir dans une enfant de quinze ans la rouée[2] à venir ; étudier, ensemencer, infiltrer paternellement le filon

---

1. *Entrailles du pape :* juron destiné à manifester l'impiété et la grossièreté d'Alexandre, qui avait pourtant été fait duc de Florence par le pape Clément VII.
2. *Rouée :* terme appliqué sous la Régence (1715 - 1723) aux compagnons de débauche du duc d'Orléans, qui paraissaient dignes du supplice de la roue.

15 mystérieux du vice dans un conseil d'ami, dans une caresse
au menton — tout dire et ne rien dire, selon le caractère des
parents — habituer doucement l'imagination qui se développe
à donner des corps à ses fantômes, à toucher ce qui l'effraye,
à mépriser ce qui la protège ! Cela va plus vite qu'on ne
20 pense ; le vrai mérite est de frapper juste. Et quel trésor que
celle-ci ! tout ce qui peut faire passer une nuit délicieuse à
Votre Altesse ! Tant de pudeur ! Une jeune chatte qui veut
bien des confitures, mais qui ne veut pas se salir la patte.
Proprette comme une Flamande ! La médiocrité bourgeoise
25 en personne. D'ailleurs, fille de bonnes gens, à qui leur peu
de fortune n'a pas permis une éducation solide ; point de
fond dans les principes, rien qu'un léger vernis ; mais quel
flot violent d'un fleuve magnifique sous cette couche de glace
fragile qui craque à chaque pas ! Jamais arbuste en fleur n'a
30 promis de fruits plus rares, jamais je n'ai humé dans une
atmosphère enfantine plus exquise odeur de courtisanerie.

Le Duc. Sacrebleu ! je ne vois pas le signal. Il faut pourtant
que j'aille au bal chez Nasi ; c'est aujourd'hui qu'il marie sa
fille.

35 Giomo. Allons au pavillon, monseigneur. Puisqu'il ne s'agit
que d'emporter une fille qui est à moitié payée, nous pouvons
bien taper aux carreaux.

Le Duc. Viens par ici ; le Hongrois a raison.
Ils s'éloignent. — Entre Maffio.

Maffio. Il me semblait dans mon rêve voir ma sœur
40 traverser notre jardin, tenant une lanterne sourde, et couverte
de pierreries. Je me suis éveillé en sursaut. Dieu sait que ce
n'est qu'une illusion, mais une illusion trop forte pour que
le sommeil ne s'enfuie pas devant elle. Grâce au ciel, les
fenêtres du pavillon où couche la petite sont fermées comme
45 de coutume ; j'aperçois faiblement la lumière de sa lampe
entre les feuilles de notre vieux figuier. Maintenant mes folles
terreurs se dissipent ; les battements précipités de mon cœur

font place à une douce tranquillité. Insensé ! mes yeux se remplissent de larmes, comme si ma pauvre sœur avait couru
50 un véritable danger. — Qu'entends-je ? Qui remue là entre les branches ? *(La sœur de Maffio passe dans l'éloignement.)* Suis-je éveillé ? c'est le fantôme de ma sœur. Il tient une lanterne sourde, et un collier brillant étincelle sur sa poitrine aux rayons de la lune. Gabrielle ! Gabrielle ! où vas-tu ?
Rentrent Giomo et le duc.

55 GIOMO. Ce sera le bonhomme de frère pris de somnambulisme. — Lorenzo conduira votre belle au palais par la petite porte ; et quant à nous, qu'avons-nous à craindre ?

MAFFIO. Qui êtes-vous ? Holà ! arrêtez !
Il tire son épée.

GIOMO. Honnête rustre[1], nous sommes tes amis.

60 MAFFIO. Où est ma sœur ? que cherchez-vous ici ?

GIOMO. Ta sœur est dénichée, brave canaille. Ouvre la grille de ton jardin.

MAFFIO. Tire ton épée et défends-toi, assassin que tu es !

GIOMO *saute sur lui et le désarme.* Halte-là ! maître sot, pas
65 si vite.

MAFFIO. Ô honte ! ô excès de misère ! S'il y a des lois à Florence, si quelque justice vit encore sur la terre, par ce qu'il y a de vrai et de sacré au monde, je me jetterai aux pieds du duc, et il vous fera pendre tous les deux.

70 GIOMO. Aux pieds du duc ?

MAFFIO. Oui, oui, je sais que les gredins de votre espèce égorgent impunément les familles. Mais que je meure, entendez-

_____

1. *Honnête rustre* : alliance provocante d'un terme péjoratif (« rustre » = individu grossier, brutal, inculte) et d'un terme laudatif (qui en prend une connotation défavorable, « honnête » équivalant ici à « naïf », « niais »). Voir plus loin « brave canaille », « brave rustre ».

vous, je ne mourrai pas silencieux comme tant d'autres. Si le duc ne sait pas que sa ville est une forêt pleine de bandits, 75 pleine d'empoisonneurs et de filles déshonorées, en voilà un qui le lui dira. Ah ! massacre ! ah ! fer et sang ! j'obtiendrai justice de vous !

GIOMO, *l'épée à la main.* Faut-il frapper, Altesse ?

LE DUC. Allons donc ! frapper ce pauvre homme ! Va te 80 recoucher, mon ami, nous t'enverrons demain quelques ducats. *Il sort.*

MAFFIO. C'est Alexandre de Médicis !

GIOMO. Lui-même, mon brave rustre. Ne te vante pas de sa visite, si tu tiens à tes oreilles. *Il sort.*

SCÈNE 2.

Une rue. — Le point du jour.

Plusieurs masques sortent d'une maison illuminée ; UN MARCHAND DE SOIERIES *et* UN ORFÈVRE *ouvrent leurs boutiques.*

LE MARCHAND DE SOIERIES. Hé, hé, père Mondella, voilà bien du vent pour mes étoffes. *Il étale ses pièces de soie.*

L'ORFÈVRE, *bâillant.* C'est à se casser la tête. Au diable leur noce ! je n'ai pas fermé l'œil de la nuit.

5 LE MARCHAND. Ni ma femme non plus, voisin ; la chère âme s'est tournée et retournée comme une anguille. Ah ! dame ! quand on est jeune, on ne s'endort pas au bruit des violons.

L'ORFÈVRE. Jeune ! jeune ! cela vous plaît à dire. On n'est
10 pas jeune avec une barbe comme celle-là, et cependant Dieu
sait si leur damnée de musique me donne envie de danser.
Deux écoliers[1] passent.

PREMIER ÉCOLIER. Rien n'est plus amusant. On se glisse
contre la porte au milieu des soldats, et on les voit descendre
avec leurs habits de toutes les couleurs. Tiens, voilà la maison
15 des Nasi. *(Il souffle dans ses doigts.)* Mon portefeuille[2] me glace
les mains.

DEUXIÈME ÉCOLIER. Et on nous laissera approcher ?

PREMIER ÉCOLIER. En vertu de quoi est-ce qu'on nous en
empêcherait ? Nous sommes citoyens de Florence. Regarde
20 tout ce monde autour de la porte ; en voilà des chevaux, des
pages et des livrées ! Tout cela va et vient, il n'y a qu'à s'y
connaître un peu ; je suis capable de nommer toutes les
personnes d'importance ; on observe bien tous les costumes,
et le soir on dit à l'atelier : J'ai une terrible envie de dormir,
25 j'ai passé la nuit au bal chez le prince Aldobrandini, chez le
comte Salviati ; le prince était habillé de telle ou telle façon,
la princesse de telle autre, et on ne ment pas. Viens, prends
ma cape par derrière.
Ils se placent contre la porte de la maison.

L'ORFÈVRE. Entendez-vous les petits badauds ? Je voudrais
30 qu'un de mes apprentis fît un pareil métier.

LE MARCHAND. Bon, bon, père Mondella, où le plaisir ne
coûte rien, la jeunesse n'a rien à perdre. Tous ces grands
yeux étonnés de ces petits polissons me réjouissent le
cœur. — Voilà comme j'étais, humant l'air et cherchant les

---

1. *Écoliers* : on dirait aujourd'hui étudiants.
2. *Portefeuille* : l'écolier parlant plus loin d'atelier (de peintre), il s'agit
de son carton à dessin.

Le palais Strozzi.
Gravure d'Eugène Ciceri (1813-1890)
d'après André Durand (1807-1867). B.N., cabinet des Estampes, Paris.

35 nouvelles. Il paraît que la Nasi est une belle gaillarde, et que
le Martelli est un heureux garçon. C'est une famille bien
florentine, celle-là ! Quelle tournure ont tous ces grands
seigneurs ! J'avoue que ces fêtes-là me font plaisir, à moi. On
est dans son lit bien tranquille, avec un coin de ses rideaux
40 retroussé ; on regarde de temps en temps les lumières qui
vont et viennent dans le palais ; on attrape un petit air de
danse sans rien payer, et on se dit : Hé, hé, ce sont mes
étoffes qui dansent, mes belles étoffes du bon Dieu, sur le
cher corps de tous ces braves et loyaux seigneurs.

45 L'ORFÈVRE. Il en danse plus d'une qui n'est pas payée,
voisin ; ce sont celles-là qu'on arrose de vin et qu'on frotte
sur les murailles avec le moins de regret. Que les grands
seigneurs s'amusent, c'est tout simple — ils sont nés pour
cela. Mais il y a des amusements de plusieurs sortes, entendez-
50 vous ?

LE MARCHAND. Oui, oui, comme la danse, le cheval, le
jeu de paume et tant d'autres. Qu'entendez-vous vous-même,
père Mondella ?

L'ORFÈVRE. Cela suffit. — Je me comprends. — C'est-à-dire
55 que les murailles de tous ces palais-là n'ont jamais mieux
prouvé leur solidité. Il leur fallait moins de force pour défendre
les aïeux de l'eau du ciel, qu'il ne leur en faut pour soutenir
les fils quand ils ont trop pris de leur vin.

LE MARCHAND. Un verre de vin est de bon conseil, père
60 Mondella. Entrez donc dans ma boutique, que je vous montre
une pièce de velours.

L'ORFÈVRE. Oui, de bon conseil et de bonne mine, voisin ;
un bon verre de vin vieux a une bonne mine au bout d'un
bras qui a sué pour le gagner ; on le soulève gaiement d'un
65 petit coup, et il s'en va donner du courage au cœur de
l'honnête homme qui travaille pour sa famille. Mais ce sont

41

des tonneaux sans vergogne, que tous ces godelureaux[1] de la cour. À qui fait-on plaisir en s'abrutissant jusqu'à la bête féroce ? À personne, pas même à soi, et à Dieu encore moins.

70 LE MARCHAND.   Le carnaval a été rude, il faut l'avouer ; et leur maudit ballon[2] m'a gâté de la marchandise pour une cinquantaine de florins. Dieu merci ! les Strozzi l'ont payée.

L'ORFÈVRE.   Les Strozzi ! Que le ciel confonde ceux qui ont osé porter la main sur leur neveu ! Le plus brave homme de 75 Florence, c'est Philippe Strozzi.

LE MARCHAND.   Cela n'empêche pas Pierre Strozzi d'avoir traîné son maudit ballon sur ma boutique, et de m'avoir fait trois grandes taches dans une aune de velours brodé. À propos, père Mondella, nous verrons-nous à Montolivet[3] ?

80 L'ORFÈVRE.   Ce n'est pas mon métier de suivre les foires ;

---

1. *Godelureaux* : « familièrement, et par dénigrement, jeune(s) homme(s) d'une conduite étourdie, qui fait (font) le(s) joli(s) cœur(s) auprès des femmes » (*Dictionnaire de la langue française*, Littré, 1863 - 1873).

2. *Leur maudit ballon* : « C'était l'usage, au carnaval, de traîner dans les rues un énorme ballon qui renversait les passants et les devantures des boutiques. Pierre Strozzi avait été arrêté pour ce fait. » (Note de A. de Musset.) L'incident est raconté en détail par Varchi (voir p. 224). Ce n'était pas Pierre mais Robert et Vincent Strozzi qui avaient été arrêtés. Philippe fit cesser les poursuites en indemnisant les victimes.

3. *Montolivet* : bourg proche de Florence où s'élevait l'église San Miniato. « Chaque année, tous les vendredis de mars, la sainte Église romaine accorde pardon et indulgence à quiconque visite l'église de San Miniato [...] ainsi que l'église de San Salvatore. Aux jours indiqués, et surtout vers la fin de la matinée, toute la noblesse de Florence, hommes et dames, se presse à ces deux églises. Beaucoup d'artisans viennent là ; ils dressent leur boutique, comme pour une foire, et apportent leurs marchandises. Les dames sortent de ces églises, et s'arrêtent à regarder les objets qu'ils ont apportés ; elles font leurs achats. » (*Storia fiorentina*, Varchi, note de l'édition de Paul de Musset, voir p. 224.) Voir la note 1 p. 63.

j'irai cependant à Montolivet par piété. C'est un saint pèlerinage, voisin, et qui remet tous les péchés.

LE MARCHAND. Et qui est tout à fait vénérable, voisin, et qui fait gagner les marchands plus que tous les autres jours
85 de l'année. C'est plaisir de voir ces bonnes dames, sortant de la messe, manier, examiner toutes les étoffes. Que Dieu conserve Son Altesse ! La cour est une belle chose.

L'ORFÈVRE. La cour ! le peuple la porte sur le dos, voyez-vous ! Florence était encore (il n'y a pas longtemps de cela)
90 une bonne maison bien bâtie ; tous ces grands palais, qui sont les logements de nos grandes familles, en étaient les colonnes. Il n'y en avait pas une, de toutes ces colonnes, qui dépassât les autres d'un pouce ; elles soutenaient à elles toutes une vieille voûte bien cimentée, et nous nous promenions là-
95 dessous sans crainte d'une pierre sur la tête. Mais il y a de par le monde deux architectes malavisés qui ont gâté l'affaire ; je vous le dis en confidence, c'est le pape et l'empereur Charles[1]. L'empereur a commencé par entrer par une assez bonne brèche dans la susdite maison. Après quoi, ils ont jugé
100 à propos de prendre une des colonnes dont je vous parle, à savoir celle de la famille des Médicis, et d'en faire un clocher, lequel clocher a poussé comme un champignon de malheur dans l'espace d'une nuit[2]. Et puis, savez-vous, voisin ! comme l'édifice branlait au vent, attendu qu'il avait la tête trop lourde
105 et une jambe de moins, on a remplacé le pilier devenu clocher par un gros pâté informe fait de boue et de crachat, et on a appelé cela la citadelle. Les Allemands se sont installés dans ce maudit trou, comme des rats dans un fromage, et il est

---

1. *L'empereur Charles* : Charles Quint, empereur d'Allemagne, prince des Pays-Bas, roi d'Espagne et de Sicile, « roi de la moitié du monde » (IV. 4).
2. En réalité, la suprématie des Médicis date d'un siècle environ (voir p. 14).

bon de savoir que, tout en jouant aux dés et en buvant leur
110 vin aigrelet, ils ont l'œil sur nous autres. Les familles florentines
ont beau crier, le peuple et les marchands ont beau dire, les
Médicis gouvernent au moyen de leur garnison ; ils nous
dévorent comme une excroissance vénéneuse dévore un estomac
malade. C'est en vertu des hallebardes qui se promènent sur
115 la plate-forme, qu'un bâtard, une moitié de Médicis, un butor
que le ciel avait fait pour être garçon boucher ou valet de
charrue, couche dans le lit de nos filles, boit nos bouteilles,
casse nos vitres, et encore le paye-t-on pour cela.

Le Marchand. Peste ! comme vous y allez ! Vous avez
120 l'air de savoir tout cela par cœur ; il ne ferait pas bon dire
cela dans toutes les oreilles, voisin Mondella.

L'Orfèvre. Et quand on me bannirait comme tant d'autres !
On vit à Rome aussi bien qu'ici. Que le diable emporte la
noce, ceux qui y dansent et ceux qui la font !

Il rentre. Le marchand se mêle aux curieux. Passe un bourgeois avec
sa femme.

125 La Femme. Guillaume Martelli est un bel homme, et riche.
C'est un bonheur pour Nicolo Nasi d'avoir un gendre comme
celui-là. Tiens, le bal dure encore. — Regarde donc toutes ces
lumières.

Le Bourgeois. Et nous, notre fille, quand la marierons-
130 nous ?

La Femme. Comme tout est illuminé ! danser encore à
l'heure qu'il est, c'est là une jolie fête. — On dit que le duc
y est.

Le Bourgeois. Faire du jour la nuit et de la nuit le jour,
135 c'est un moyen commode de ne pas voir les honnêtes gens.
Une belle invention, ma foi, que des hallebardes à la porte
d'une noce ! Que le bon Dieu protège la ville ! Il en sort
tous les jours de nouveaux, de ces chiens d'Allemands, de
leur damnée forteresse.

140 La Femme. Regarde donc le joli masque. Ah ! la belle robe !

Hélas ! tout cela coûte très cher, et nous sommes bien pauvres à la maison.

Ils sortent.

UN SOLDAT, *au marchand.*   Gare, canaille ! laisse passer les chevaux.

145 LE MARCHAND.   Canaille toi-même, Allemand du diable !
Le soldat le frappe de sa pique.

LE MARCHAND, *se retirant.*   Voilà comme on suit la Capitulation ! Ces gredins-là maltraitent les citoyens.
Il rentre chez lui.

L'ÉCOLIER, *à son camarade.*   Vois-tu celui-là qui ôte son masque ? C'est Palla Ruccellaï. Un fier luron ! Ce petit-là, à
150 côté de lui, c'est Thomas Strozzi, Masaccio comme on dit.

UN PAGE, *criant.*   Le cheval de Son Altesse !

LE SECOND ÉCOLIER.   Allons-nous-en, voilà le duc qui sort.

LE PREMIER ÉCOLIER.   Crois-tu pas qu'il va te manger ?
La foule augmente à la porte.

L'ÉCOLIER.   Celui-là, c'est Nicolini ; celui-là, c'est le
155 provéditeur.
Le duc sort, vêtu en religieuse, avec Julien Salviati, habillé de même, tous deux masqués.

LE DUC, *montant à cheval.*   Viens-tu, Julien ?

SALVIATI.   Non, Altesse, pas encore.
Il lui parle à l'oreille.

LE DUC.   Bien, bien, ferme[1] !

SALVIATI.   Elle est belle comme un démon. — Laissez-moi
160 faire ! Si je peux me débarrasser de ma femme !...
Il rentre dans le bal.

---

1. *Ferme :* interjection ayant valeur d'encouragement (voir les expressions « de pied ferme », « tenir ferme »).

LE DUC. Tu es gris, Salviati. Le diable m'emporte, tu vas de travers.

Il part avec sa suite.

L'ÉCOLIER. Maintenant que voilà le duc parti, il n'y en a pas pour longtemps.

Les masques sortent de tous côtés.

165 LE SECOND ÉCOLIER. Rose, vert, bleu, j'en ai plein les yeux ; la tête me tourne.

UN BOURGEOIS. Il paraît que le souper a duré longtemps. En voilà deux qui ne peuvent plus se tenir.

Le provéditeur monte à cheval ; une bouteille cassée lui tombe sur l'épaule.

LE PROVÉDITEUR. Eh, ventrebleu ! quel est l'assommeur,
170 ici ?

UN MASQUE. Eh ! ne le voyez-vous pas, seigneur Corsini ? Tenez, regardez à la fenêtre ; c'est Lorenzo, avec sa robe de nonne.

LE PROVÉDITEUR. Lorenzaccio[1], le diable soit de toi ! Tu as
175 blessé mon cheval. *(La fenêtre se ferme.)* Peste soit de l'ivrogne et de ses farces silencieuses ! Un gredin qui n'a pas souri trois fois dans sa vie, et qui passe le temps à des espiègleries d'écolier en vacances !

Il part. — Louise Strozzi sort de la maison, accompagnée de Julien Salviati ; il lui tient l'étrier. Elle monte à cheval ; un écuyer et une gouvernante la suivent.

JULIEN. La jolie jambe, chère fille ! Tu es un rayon de soleil,
180 et tu as brûlé la moelle de mes os.

LOUISE. Seigneur, ce n'est pas là le langage d'un cavalier[2].

---

1. *Lorenzaccio* : le suffixe *accio* sert en italien à former des diminutifs péjoratifs (voir plus haut Masaccio pour Thomas Strozzi). Il est employé ici à dessein.
2. *Cavalier* : gentilhomme, homme du monde.

JULIEN. Quels yeux tu as, mon cher cœur ! quelle belle épaule à essuyer, tout humide et si fraîche ! Que faut-il te donner pour être ta camériste[1] cette nuit ? Le joli pied à
185 déchausser !

LOUISE. Lâche mon pied, Salviati.

JULIEN. Non, par le corps de Bacchus[2] ! jusqu'à ce que tu m'aies dit quand nous coucherons ensemble.
Louise frappe son cheval et part au galop.

UN MASQUE, *à Julien.* La petite Strozzi s'en va rouge comme
190 la braise — vous l'avez fâchée, Salviati.

JULIEN. Baste ! colère de jeune fille et pluie du matin...
Il sort.

SCÈNE 3.

Chez le marquis Cibo.

LE MARQUIS, *en habit de voyage,* LA MARQUISE, ASCANIO, LE CARDINAL CIBO, *assis.*

LE MARQUIS, *embrassant son fils.* Je voudrais pouvoir t'emmener, petit, toi et ta grande épée qui te traîne entre les jambes. Prends patience ; Massa n'est pas bien loin, et je te rapporterai un bon cadeau.

5 LA MARQUISE. Adieu, Laurent ; revenez, revenez !

---

1. *Camériste :* femme de chambre.
2. *Bacchus :* dieu latin du Vin et de l'Ivresse. « Par le corps de Bacchus » est un juron familier à Alexandre.

Le Cardinal. Marquise, voilà des pleurs qui sont de trop. Ne dirait-on pas que mon frère part pour la Palestine[1] ? Il ne court pas grand danger dans ses terres, je crois.

Le Marquis. Mon frère, ne dites pas de mal de ces belles
10 larmes.

Il embrasse sa femme.

Le Cardinal. Je voudrais seulement que l'honnêteté n'eût pas cette apparence.

La Marquise. L'honnêteté n'a-t-elle point de larmes, monsieur le cardinal ? Sont-elles toutes au repentir ou à la
15 crainte ?

Le Marquis. Non, par le ciel ! car les meilleures sont à l'amour. N'essuyez pas celles-ci sur mon visage, le vent s'en chargera en route ; qu'elles se sèchent lentement ! Eh bien, ma chère, vous ne me dites rien pour vos favoris ? N'emporterai-
20 je pas, comme de coutume, quelque belle harangue sentimentale à faire de votre part aux roches et aux cascades de mon vieux patrimoine ?

La Marquise. Ah ! mes pauvres cascatelles[2] !

Le Marquis. C'est la vérité, ma chère âme, elles sont toutes
25 tristes sans vous. *(Plus bas.)* Elles ont été joyeuses autrefois, n'est-il pas vrai, Ricciarda ?

La Marquise. Emmenez-moi !

Le Marquis. Je le ferais si j'étais fou, et je le suis presque,

---

1. *Palestine :* les croisades pour reprendre la Palestine aux infidèles sont finies depuis longtemps, mais sont citées ici comme symbole de l'expédition dangereuse.
2. *Mon vieux patrimoine ... mes pauvres cascatelles :* « cascatelle » est un diminutif d'origine italienne signifiant « petite cascade » ; ce « vieux patrimoine » était en fait une possession de la marquise, non du marquis.

avec ma vieille mine de soldat. N'en parlons plus — ce sera
30 l'affaire d'une semaine. Que ma chère Ricciarda voie ses
jardins quand ils sont tranquilles et solitaires ; les pieds boueux
de mes fermiers ne laisseront pas de trace dans ses allées
chéries. C'est à moi de compter mes vieux troncs d'arbres
qui me rappellent ton père Albéric, et tous les brins d'herbe
35 de mes bois ; les métayers et leurs bœufs, tout cela me
regarde. À la première fleur que je verrai pousser, je mets
tout à la porte, et je vous emmène alors.

La Marquise. La première fleur de notre belle pelouse
m'est toujours chère. L'hiver est si long ! Il me semble toujours
40 que ces pauvres petites ne reviendront jamais.

Ascanio. Quel cheval as-tu, mon père, pour t'en aller ?

Le Marquis. Viens avec moi dans la cour, tu le verras.

Il sort. — La marquise reste seule avec le cardinal. — Un silence.

Le Cardinal. N'est-ce pas aujourd'hui que vous m'avez
demandé d'entendre votre confession, marquise ?

45 La Marquise. Dispensez-m'en, cardinal. Ce sera pour ce
soir, si Votre Éminence est libre, ou demain, comme elle
voudra. — Ce moment-ci n'est pas à moi.

Elle se met à la fenêtre et fait un signe d'adieu à son mari.

Le Cardinal. Si les regrets étaient permis à un fidèle
serviteur de Dieu, j'envierais le sort de mon frère. — Un si
50 court voyage, si simple, si tranquille ! — une visite à une de
ses terres qui n'est qu'à quelques pas d'ici ! — une absence
d'une semaine, — et tant de tristesse, une si douce tristesse,
veux-je dire, à son départ ! Heureux celui qui sait se faire
aimer ainsi après sept années de mariage ! — N'est-ce pas
55 sept années, marquise ?

La Marquise. Oui, cardinal ; mon fils a six ans.

Le Cardinal. Étiez-vous hier à la noce des Nasi ?

La Marquise. Oui, j'y étais.

Le Cardinal. Et le duc en religieuse ?

60 La Marquise. Pourquoi le duc en religieuse ?

LE CARDINAL.   On m'avait dit qu'il avait pris ce costume ; il se peut qu'on m'ait trompé.

LA MARQUISE.   Il l'avait en effet. Ah ! Malaspina[1], nous sommes dans un triste temps pour toutes les choses saintes !

65 LE CARDINAL.   On peut respecter les choses saintes, et, dans un jour de folie, prendre le costume de certains couvents, sans aucune intention hostile à la sainte Église catholique.

LA MARQUISE.   L'exemple est à craindre, et non l'intention. Je ne suis pas comme vous ; cela m'a révoltée. Il est vrai que 70 je ne sais pas bien ce qui se peut et ce qui ne se peut pas, selon vos règles mystérieuses. Dieu sait où elles mènent. Ceux qui mettent les mots sur leur enclume, et qui les tordent avec un marteau et une lime, ne réfléchissent pas toujours que ces mots représentent des pensées, et ces pensées des actions.

75 LE CARDINAL.   Bon ! bon ! le duc est jeune, marquise, et gageons que cet habit coquet des nonnes lui allait à ravir.

LA MARQUISE.   On ne peut mieux ; il n'y manquait que quelques gouttes du sang de son cousin, Hippolyte de Médicis[2].

LE CARDINAL.   Et le bonnet de la Liberté[3], n'est-il pas vrai, 80 petite sœur ? Quelle haine pour ce pauvre duc !

---

1. *Malaspina* : erreur de Musset. Le personnage se prénomme Innocent, c'est un Médicis ; Malaspina est le nom de jeune fille de la marquise (voir p. 12 - 13). Peut-être Musset l'a-t-il choisi pour son sens (« mauvaise épine » en latin).
2. *Hippolyte de Médicis* : cousin d'Alexandre (voir p. 12 - 13), il partagea longtemps avec lui la faveur de Clément VII ; lorsque ce dernier choisit Alexandre pour diriger Florence, il en eut du dépit, voulut tenter de s'emparer de Florence, mais s'en laissa détourner par un titre de cardinal et une grosse pension. Il tint une cour fastueuse et mourut empoisonné en 1533, à l'instigation d'Alexandre, dit-on.
3. *Le bonnet de la Liberté* : exemple d'anachronisme. Le bonnet dit « phrygien », coiffure des sans-culottes, ne devient symbole de liberté que pendant la Révolution française.

LA MARQUISE. Et vous, son bras droit, cela vous est égal que le duc de Florence soit le préfet de Charles Quint, le commissaire civil du pape, comme Baccio est son commissaire religieux ? Cela vous est égal, à vous, frère de mon Laurent,

85 que notre soleil, à nous, promène sur la citadelle des ombres allemandes ? que César[1] parle ici dans toutes les bouches ? que la débauche serve d'entremetteuse à l'esclavage, et secoue ses grelots sur les sanglots du peuple ? Ah ! le clergé sonnerait au besoin toutes ses cloches pour en étouffer le bruit et pour

90 réveiller l'aigle impérial, s'il s'endormait sur nos pauvres toits. *Elle sort.*

LE CARDINAL, *seul, soulève la tapisserie et appelle à voix basse.* Agnolo ! *(Entre un page.)* Quoi de nouveau aujourd'hui ?

AGNOLO. Cette lettre, monseigneur.

LE CARDINAL. Donne-la-moi.

95 AGNOLO. Hélas ! Éminence, c'est un péché.

LE CARDINAL. Rien n'est un péché quand on obéit à un prêtre de l'Église romaine.
Agnolo remet la lettre.

LE CARDINAL. Cela est comique d'entendre les fureurs de cette pauvre marquise, et de la voir courir à un rendez-vous

100 d'amour avec le cher tyran, toute baignée de larmes républicaines. *(Il ouvre la lettre et lit.)*
« Ou vous serez à moi, ou vous aurez fait mon malheur, le vôtre, et celui de nos deux maisons. »
Le style du duc est laconique, mais il ne manque pas d'énergie.

105 Que la marquise soit convaincue ou non, voilà le difficile à

---

1. *César* : Charles Quint. Tous les empereurs romains ont porté le titre de « césar », qui est ainsi devenu l'équivalent de « empereur » (« Kaiser » en allemand, « tsar » en russe). Musset utilise dans *Lorenzaccio* nombre de références antiques.

savoir. Deux mois de cour presque assidue, c'est beaucoup pour Alexandre ; ce doit être assez pour Ricciarda Cibo. *(Il rend la lettre au page.)* Remets cela chez ta maîtresse ; tu es toujours muet, n'est-ce pas ? Compte sur moi.

Il lui donne sa main à baiser et sort.

Acte I Scènes 1 à 3

UNE EXPOSITION EN MOUVEMENT

1. Contrairement à une exposition classique (voir p. 254), l'information du spectateur se fait en cours d'action. Montrez combien la scène 1 engage l'ensemble du drame.

2. Les trois intrigues (Lorenzo, Strozzi et Cibo) sont successivement éclairées. Quelle est celle qui apparaît comme la plus avancée ? Est-il possible de savoir quel va être le nœud du drame ? En quoi cette exposition définit-elle la pièce comme un drame politique et non passionnel ?

3. Comment le ton des trois premières scènes réalise-t-il la fusion du bouffon et du tragique ?

FLORENCE : DÉCOR, AMBIANCE, CONTEXTE ?

4. Relevez les éléments de « couleur locale ».

5. Montrez que Florence est ici beaucoup plus qu'un simple décor : notez, en particulier, tout ce qui évoque une atmosphère morale et politique.

6. Analysez, dans la scène 2, la situation politique telle que la ressentent les deux bourgeois. C'est la marquise Cibo qui résumera le mieux la situation : retrouvez le passage concerné.

7. Étudiez les moyens stylistiques qui permettent à Musset de rendre sensibles la débauche et la perversion ambiantes (métaphores, comparaisons, antithèses, etc., voir le « Petit dictionnaire pour commenter *Lorenzaccio* » p. 253).

TYPES ET CARACTÈRES

8. Le duc et Lorenzo représentent deux types différents de libertins. Lesquels ?

9. Montrez que les deux bourgeois incarnent deux variantes typiques de leur classe. En quoi sont-ils aussi des personnages d'actualité au xixᵉ siècle (vous pourrez faire un rapprochement avec certains personnages de Balzac) ?

SCÈNE 4.

Une cour du palais du duc.

LE DUC ALEXANDRE *sur une terrasse ; des pages exercent des chevaux dans la cour. Entrent* VALORI *et* SIRE MAURICE.

LE DUC, *à Valori.* Votre Éminence a-t-elle reçu ce matin des nouvelles de la cour de Rome ?

VALORI. Paul III[1] envoie mille bénédictions à Votre Altesse, et fait les vœux les plus ardents pour sa prospérité.

5 LE DUC. Rien que des vœux, Valori ?

VALORI. Sa Sainteté craint que le duc ne se crée de nouveaux dangers par trop d'indulgence. Le peuple est mal habitué à la domination absolue ; et César, à son dernier voyage[2], en a dit autant, je crois, à Votre Altesse.

10 LE DUC. Voilà, pardieu, un beau cheval, sire Maurice ! Eh ! quelle croupe de diable !

SIRE MAURICE. Superbe, Altesse.

LE DUC. Ainsi, monsieur le commissaire apostolique, il y a encore quelques mauvaises branches à élaguer. César et le 15 pape ont fait de moi un roi ; mais, par Bacchus, ils m'ont mis dans la main une espèce de sceptre qui sent la hache d'une lieue. Allons, voyons, Valori, qu'est-ce que c'est ?

VALORI. Je suis un prêtre, Altesse ; si les paroles que mon devoir me force à vous rapporter fidèlement doivent être

---

1. *Paul III :* Alexandre Farnèse avait succédé à Clément VII en 1534 sous le nom de Paul III.
2. Charles Quint avait fait un séjour officiel à Florence en 1533.

20 interprétées d'une manière aussi sévère, mon cœur me défend d'y ajouter un mot.

Le Duc. Oui, oui, je vous connais pour un brave. Vous êtes, pardieu, le seul prêtre honnête homme que j'aie vu de ma vie.

25 Valori. Monseigneur, l'honnêteté ne se perd ni ne se gagne sous aucun habit, et parmi les hommes il y a plus de bons que de méchants.

Le Duc. Ainsi donc, point d'explications ?

Sire Maurice. Voulez-vous que je parle, monseigneur ?
30 Tout est facile à expliquer.

Le Duc. Eh bien ?

Sire Maurice. Les désordres de la cour irritent le pape.

Le Duc. Que dis-tu là, toi ?

Sire Maurice. J'ai dit les désordres de la cour, Altesse ;
35 les actions du duc n'ont d'autre juge que lui-même. C'est Lorenzo de Médicis que le pape réclame comme transfuge de sa justice.

Le Duc. De sa justice ? Il n'a jamais offensé de pape, à ma connaissance, que Clément VII, feu mon cousin, qui, à
40 cette heure, est en enfer[1].

Sire Maurice. Clément VII a laissé sortir de ses États le libertin qui, un jour d'ivresse, avait décapité les statues de l'arc de Constantin[2]. Paul III ne saurait pardonner au modèle titré de la débauche florentine.

---

1. Jules de Médicis, pape sous le nom de Clément VII, est mort en 1534 ; il était le neveu de Laurent le Magnifique, lui-même arrière-grand-père d'Alexandre (voir p. 12-13).
2. *L'arc de Constantin* : monument élevé en l'honneur d'une victoire placée sous le signe de la croix. L'empereur Constantin (280-337 apr. J.-C.), à la suite d'une vision lui annonçant qu'il vaincrait par ce signe, l'avait fait placer sur le bouclier de ses soldats. La provocation (1534) était donc autant religieuse qu'artistique. Lorenzo avait été arrêté, puis gracié sur l'intervention du cardinal Hippolyte de Médicis et chassé de Rome.

Portrait d'Alexandre de Médicis.
Tableau d'Agnolo Tori, dit le Bronzino (1503-1572).
Palazzo Riccardi, Florence.

56

45 LE DUC. Ah ! parbleu, Alexandre Farnèse est un plaisant
    garçon ! Si la débauche l'effarouche, que diable fait-il de son
    bâtard, le cher Pierre Farnèse, qui traite si joliment l'évêque
    de Fano[1] ? Cette mutilation revient toujours sur l'eau, à
    propos de ce pauvre Renzo. Moi, je trouve cela drôle, d'avoir
50 coupé la tête à tous ces hommes de pierre. Je protège les
    arts comme un autre, et j'ai chez moi les premiers artistes
    de l'Italie ; mais je n'entends rien au respect du pape pour
    ces statues qu'il excommunierait demain, si elles étaient en
    chair et en os.

55 SIRE MAURICE. Lorenzo est un athée[2] ; il se moque de tout.
    Si le gouvernement de Votre Altesse n'est pas entouré d'un
    profond respect, il ne saurait être solide. Le peuple appelle
    Lorenzo, Lorenzaccio ; on sait qu'il dirige vos plaisirs, et cela
    suffit.

60 LE DUC. Paix ! tu oublies que Lorenzo de Médicis est cousin
    d'Alexandre. *(Entre le cardinal Cibo.)* Cardinal, écoutez un peu
    ces messieurs qui disent que le pape est scandalisé des
    désordres de ce pauvre Renzo, et qui prétendent que cela fait
    tort à mon gouvernement.

65 LE CARDINAL. Messire Francesco Molza vient de débiter à
    l'Académie romaine une harangue en latin contre le mutilateur
    de l'arc de Constantin[3].

    LE DUC. Allons donc, vous me mettriez en colère ! Renzo,
    un homme à craindre ! le plus fieffé[4] poltron ! une femmelette,

---

1. Pierre Farnèse, fils naturel d'Alexandre, était un personnage
débauché et sanguinaire. L'affaire (il avait violé et éventré le jeune
évêque de Fano) date en fait de 1538 : elle est donc postérieure à la
mort du duc.
2. *Athée* : le terme et la notion sont ici assez anachroniques.
3. Fait historique.
4. *Fieffé* : personne dont le défaut, ou le vice, a atteint le plus haut
degré.

70 l'ombre d'un ruffian énervé[1] ! un rêveur qui marche nuit et
jour sans épée, de peur d'en apercevoir l'ombre à son côté !
d'ailleurs un philosophe, un gratteur de papier, un méchant
poète qui ne sait seulement pas faire un sonnet ! Non, non,
je n'ai pas encore peur des ombres ! Eh ! corps de Bacchus !
75 que me font les discours latins et les quolibets de ma canaille[2] !
J'aime Lorenzo, moi, et, par la mort de Dieu ! il restera ici.

LE CARDINAL.   Si je craignais cet homme, ce ne serait pas
pour votre cour, ni pour Florence, mais pour vous, duc.

LE DUC.   Plaisantez-vous, cardinal, et voulez-vous que je vous
80 dise la vérité ? *(Il lui parle bas.)* Tout ce que je sais de ces
damnés bannis, de tous ces républicains entêtés qui complotent
autour de moi, c'est par Lorenzo que je le sais. Il est glissant
comme une anguille ; il se fourre partout et me dit tout. N'a-
t-il pas trouvé moyen d'établir une correspondance avec tous
85 ces Strozzi de l'enfer ? Oui, certes, c'est mon entremetteur ;
mais croyez que son entremise, si elle nuit à quelqu'un, ne
me nuira pas. Tenez ! *(Lorenzo paraît au fond d'une galerie basse.)*
Regardez-moi ce petit corps maigre, ce lendemain d'orgie
ambulant. Regardez-moi ces yeux plombés, ces mains fluettes
90 et maladives, à peine assez fermes pour soutenir un éventail,
ce visage morne, qui sourit quelquefois, mais qui n'a pas la
force de rire. C'est là un homme à craindre ? Allons, allons,
vous vous moquez de lui. Hé ! Renzo, viens donc ici ; voilà
sire Maurice qui te cherche dispute.

95 LORENZO *monte l'escalier de la terrasse.*   Bonjour, messieurs les
amis de mon cousin.

---

1. *Ruffian énervé* : entremetteur, débauché. L'adjectif « énervé » est à
prendre en son sens premier : privé de force, amolli.
2. *Les quolibets de ma canaille* : les plaisanteries de mon peuple
(expression méprisante).

LE DUC. Lorenzo, écoute ici. Voilà une heure que nous parlons de toi. Sais-tu la nouvelle ? Mon ami, on t'excommunie en latin, et sire Maurice t'appelle un homme dangereux, le
100 cardinal aussi ; quant au bon Valori, il est trop honnête homme pour prononcer ton nom.

LORENZO. Pour qui dangereux, Éminence ? pour les filles de joie, ou pour les saints du paradis ?

LE CARDINAL. Les chiens de cour peuvent être pris de la
105 rage comme les autres chiens.

LORENZO. Une insulte de prêtre doit se faire en latin.

SIRE MAURICE. Il s'en fait en toscan[1], auxquelles on peut répondre.

LORENZO. Sire Maurice, je ne vous voyais pas ; excusez-
110 moi, j'avais le soleil dans les yeux ; mais vous avez un bon visage, et votre habit me paraît tout neuf.

SIRE MAURICE. Comme votre esprit ; je l'ai fait faire d'un vieux pourpoint de mon grand-père.

LORENZO. Cousin, quand vous aurez assez de quelque
115 conquête des faubourgs, envoyez-la donc chez sire Maurice. Il est malsain de vivre sans femme, pour un homme qui a, comme lui, le cou court et les mains velues.

SIRE MAURICE. Celui qui se croit le droit de plaisanter doit savoir se défendre. À votre place, je prendrais une épée.

120 LORENZO. Si l'on vous a dit que j'étais un soldat, c'est une erreur ; je suis un pauvre amant de la science.

SIRE MAURICE. Votre esprit est une épée acérée, mais

---

1. *Toscan* : dialecte de la région de Florence (la Toscane).

flexible. C'est une arme trop vile ; chacun fait usage des siennes.

Il tire son épée.

125 VALORI. Devant le duc, l'épée nue !

LE DUC, *riant.* Laissez faire, laissez faire. Allons, Renzo, je veux te servir de témoin — qu'on lui donne une épée !

LORENZO. Monseigneur, que dites-vous là ?

LE DUC. Eh bien ! ta gaieté s'évanouit si vite ? Tu trembles, 130 cousin ? Fi donc ! tu fais honte au nom des Médicis. Je ne suis qu'un bâtard, et je le porterais mieux que toi, qui es légitime ? Une épée, une épée ! un Médicis ne se laisse point provoquer ainsi. Pages, montez ici ; toute la cour le verra, et je voudrais que Florence entière y fût.

135 LORENZO. Son Altesse se rit de moi.

LE DUC. J'ai ri tout à l'heure, mais maintenant je rougis de honte. Une épée !

Il prend l'épée d'un page et la présente à Lorenzo.

VALORI. Monseigneur, c'est pousser trop loin les choses. Une épée tirée en présence de Votre Altesse est un crime 140 punissable dans l'intérieur du palais.

LE DUC. Qui parle ici, quand je parle ?

VALORI. Votre Altesse ne peut avoir eu d'autre dessein que celui de s'égayer un instant, et sire Maurice lui-même n'a point agi dans une autre pensée.

145 LE DUC. Et vous ne voyez pas que je plaisante encore ? Qui diable pense ici à une affaire sérieuse ? Regardez Renzo, je vous en prie ; ses genoux tremblent, il serait devenu pâle, s'il pouvait le devenir. Quelle contenance, juste Dieu ! je crois qu'il va tomber.

Lorenzo chancelle ; il s'appuie sur la balustrade et glisse à terre tout d'un coup.

150 LE DUC, *riant aux éclats.* Quand je vous le disais ! personne ne le sait mieux que moi ; la seule vue d'une épée le fait

trouver mal. Allons, chère Lorenzetta[1], fais-toi emporter chez ta mère.

Les pages relèvent Lorenzo.

SIRE MAURICE.   Double poltron ! fils de catin[2] !

155 LE DUC.   Silence, sire Maurice, pesez vos paroles ; c'est moi qui vous le dis maintenant. Pas de ces mots-là devant moi.

VALORI.   Pauvre jeune homme !

Sire Maurice et Valori sortent.

LE CARDINAL, *resté seul avec le duc.*   Vous croyez à cela, monseigneur ?

160 LE DUC.   Je voudrais bien savoir comment je n'y croirais pas.

LE CARDINAL.   Hum ! c'est bien fort.

LE DUC. C'est justement pour cela que j'y crois. Vous figurez-vous qu'un Médicis se déshonore publiquement, par 165 partie de plaisir ? D'ailleurs, ce n'est pas la première fois que cela lui arrive ; jamais il n'a pu voir une épée.

LE CARDINAL.   C'est bien fort, c'est bien fort !

Ils sortent.

---

1. *Lorenzetta* : diminutif féminin de Lorenzo.
2. *Catin* : prostituée. Injure d'autant plus grossière que la mère de Lorenzo est honorable ; sire Maurice cherche à le pousser à bout.

Acte I Scène 4

LORENZACCIO, LORENZO, RENZO, LORENZETTA...

1. Par quels moyens Musset précise-t-il et nuance-t-il à la fois le portrait de Lorenzo en libertin, débauché et pervers ?

2. Étudiez en particulier le jeu des dénominations (ici, puis dans l'ensemble de la pièce), ainsi que le rapport établi entre le physique et le moral. Citez le texte à l'appui de votre réponse.

3. Ici commence le réseau symbolique de l'épée : notez ses premières occurrences (voir p. 255) et continuez la lecture en en suivant les variations.

4. Analysez les divers systèmes d'oppositions et de parentés entre les personnages : Valori et Cibo, le duc et sire Maurice, le duc et Lorenzo. Montrez qu'aucun des rapports humains ici décrits n'est sain. Justifiez votre réponse à l'aide d'exemples précis tirés du texte.

5. Pourquoi est-ce le cardinal Cibo qui est chargé d'introduire le doute au sujet de la véritable personnalité de Lorenzo ?

UNE TECHNIQUE DE GOUVERNEMENT

6. Alexandre se révèle un gouvernant lucide, autoritaire, qui utilise consciemment la terreur, la délation et la dépravation comme mode de gouvernement tyrannique : montrez-le.

7. Notez l'importance des forces politiques extérieures (Charles Quint, le pape). Analysez dans cette optique les rôles contrastés de Valori et du cardinal Cibo.

SCÈNE 5.

Devant l'église de San Miniato, à Montolivet[1]. La foule sort de l'église.

UNE FEMME, *à sa voisine.*   Retournez-vous ce soir à Florence ?

LA VOISINE.   Je ne reste jamais plus d'une heure ici, et je n'y viens jamais qu'un seul vendredi ; je ne suis pas assez riche pour m'arrêter à la foire. Ce n'est pour moi qu'une
5 affaire de dévotion, et que cela suffise pour mon salut, c'est tout ce qu'il me faut.

UNE DAME DE LA COUR, *à une autre.*   Comme il a bien prêché ! c'est le confesseur de ma fille. *(Elle s'approche d'une boutique.)* Blanc et or, cela fait bien le soir ; mais le jour, le
10 moyen d'être propre avec cela !
Le marchand et l'orfèvre devant leurs boutiques, avec quelques cavaliers.

L'ORFÈVRE.   La citadelle ! voilà ce que le peuple ne souffrira jamais. Voir tout d'un coup s'élever sur la ville cette nouvelle tour de Babel, au milieu du plus maudit baragouin ! les Allemands ne pousseront jamais à Florence, et pour les y
15 greffer, il faudra un vigoureux lien.

LE MARCHAND.   Voyez, mesdames ; que Vos Seigneuries acceptent un tabouret sous mon auvent.

UN CAVALIER.   Tu es du vieux sang florentin, père Mondella ; la haine de la tyrannie fait encore trembler tes doigts sur tes
20 ciselures précieuses, au fond de ton cabinet de travail.

---

1. « On allait à Montolivet tous les vendredis de certains mois ; c'était à Florence ce que Longchamp était autrefois à Paris. Les marchands y trouvaient l'occasion d'une foire et y transportaient leurs boutiques. » (Note de A. de Musset.)

L'ORFÈVRE. C'est vrai, Excellence. Si j'étais un grand artiste, j'aimerais les princes, parce qu'eux seuls peuvent faire entreprendre de grands travaux. Les grands artistes n'ont pas de patrie. Moi, je fais des saints ciboires et des poignées
25 d'épée.

UN AUTRE CAVALIER. À propos d'artiste, ne voyez-vous pas dans ce petit cabaret ce grand gaillard qui gesticule devant des badauds ? Il frappe son verre sur la table ; si je ne me trompe, c'est ce hâbleur de Cellini[1].

30 LE PREMIER CAVALIER. Allons-y donc, et entrons ; avec un verre de vin dans la tête, il est curieux à entendre, et probablement quelque bonne histoire est en train.
Ils sortent. — Deux bourgeois s'assoient.

PREMIER BOURGEOIS. Il y a eu une émeute à Florence ?

DEUXIÈME BOURGEOIS. Presque rien. — Quelques pauvres
35 jeunes gens ont été tués sur le Vieux-Marché.

PREMIER BOURGEOIS. Quelle pitié pour les familles !

DEUXIÈME BOURGEOIS. Voilà des malheurs inévitables. Que voulez-vous que fasse la jeunesse sous un gouvernement comme le nôtre ? On vient crier à son de trompe que César
40 est à Bologne, et les badauds répètent : « César est à Bologne », en clignant des yeux d'un air d'importance, sans réfléchir à ce qu'on y fait. Le jour suivant, ils sont plus heureux encore d'apprendre et de répéter : « Le pape est à Bologne avec César. » Que s'ensuit-il ? Une réjouissance publique. Ils n'en
45 voient pas davantage ; et puis un beau matin ils se réveillent tout endormis des fumées du vin impérial, et ils voient une

---

1. *Ce hâbleur de Cellini* : ce blagueur, ce vantard de Cellini. Benvenuto Cellini (1500 - 1571), célèbre graveur, statuaire, orfèvre, devait primitivement être un des personnages du drame.

figure sinistre à la grande fenêtre du palais des Pazzi. Ils demandent quel est ce personnage, et on leur répond que c'est leur roi. Le pape et l'empereur sont accouchés d'un
50 bâtard qui a droit de vie et de mort sur nos enfants, et qui ne pourrait pas nommer sa mère[1].

L'ORFÈVRE, *s'approchant*.   Vous parlez en patriote, ami ; je vous conseille de prendre garde à ce flandrin[2].
Passe un officier allemand.

L'OFFICIER.   Ôtez-vous de là, messieurs ; des dames veulent
55 s'asseoir.
Deux dames de la cour entrent et s'assoient.

PREMIÈRE DAME.   Cela est de Venise ?

LE MARCHAND.   Oui, magnifique Seigneurie ; vous en lèverai-je quelques aunes[3] ?

PREMIÈRE DAME.   Si tu veux. J'ai cru voir passer Julien
60 Salviati.

L'OFFICIER.   Il va et vient à la porte de l'église ; c'est un galant[4].

DEUXIÈME DAME.   C'est un insolent. Montrez-moi des bas de soie.

65 L'OFFICIER.   Il n'y en aura pas d'assez petits pour vous.

PREMIÈRE DAME.   Laissez donc, vous ne savez que dire. Puisque vous voyez Julien, allez lui dire que j'ai à lui parler.

L'OFFICIER.   J'y vais et je le ramène.
Il sort.

---

1. Rappel des circonstances de l'accession au pouvoir d'Alexandre.
2. *Flandrin* : à l'origine, Flamand (des Flandres) ; désigne familièrement un homme grand, maigre et maladroit.
3. Lever une aune signifie mesurer et couper une pièce d'étoffe. (Une aune = environ 1,20 m.)
4. *Galant* : homme entreprenant et hardi auprès des femmes.

PREMIÈRE DAME.   Il est bête à faire plaisir, ton officier ; que
70 peux-tu faire de cela ?

DEUXIÈME DAME.   Tu sauras qu'il n'y a rien de mieux que
cet homme-là.

Elles s'éloignent. — *Entre le prieur de Capoue.*

LE PRIEUR.   Donnez-moi un verre de limonade[1], brave homme.
Il s'assoit.

UN DES BOURGEOIS.   Voilà le prieur de Capoue ; c'est là
75 un patriote !

Les deux bourgeois se rassoient.

LE PRIEUR.   Vous venez de l'église, messieurs ? que dites-
vous du sermon ?

LE BOURGEOIS.   Il était beau, seigneur prieur.

DEUXIÈME BOURGEOIS, *à l'orfèvre.*   Cette noblesse des Strozzi
80 est chère au peuple, parce qu'elle n'est pas fière. N'est-il pas
agréable de voir un grand seigneur adresser librement la parole
à ses voisins d'une manière affable ? Tout cela fait plus qu'on
ne pense.

LE PRIEUR.   S'il faut parler franchement, j'ai trouvé le sermon
85 trop beau. J'ai prêché quelquefois, et je n'ai jamais tiré grande
gloire du tremblement des vitres. Mais une petite larme sur
la joue d'un brave homme m'a toujours été d'un grand prix.
Entre Salviati.

SALVIATI.   On m'a dit qu'il y avait ici des femmes qui me
demandaient tout à l'heure. Mais je ne vois de robe ici que
90 la vôtre, prieur. Est-ce que je me trompe ?

LE MARCHAND.   Excellence, on ne vous a pas trompé. Elles
se sont éloignées ; mais je pense qu'elles vont revenir. Voilà
dix aunes d'étoffe et quatre paires de bas pour elles.

---

1. *Limonade :* Musset frôle de peu l'anachronisme, surtout par la
connotation de sobriété qu'il lui donne (le prieur, bon prêtre, ne boit
pas de vin, ce qui ne correspond guère aux mœurs de l'époque).

SALVIATI, *s'asseyant.*   Voilà une jolie femme qui passe.
95   — Où diable l'ai-je donc vue ? — Ah ! parbleu, c'est dans mon lit.

LE PRIEUR, *au bourgeois.*   Je crois avoir vu votre signature sur une lettre adressée au duc.

LE BOURGEOIS.   Je le dis tout haut. C'est la supplique
100   adressée par les bannis.

LE PRIEUR.   En avez-vous dans votre famille ?

LE BOURGEOIS.   Deux, Excellence, mon père et mon oncle. Il n'y a plus que moi d'homme à la maison.

LE DEUXIÈME BOURGEOIS, *à l'orfèvre.*   Comme ce Salviati a
105   une méchante langue !

L'ORFÈVRE.   Cela n'est pas étonnant ; un homme à moitié ruiné, vivant des générosités de ces Médicis, et marié comme il l'est à une femme déshonorée partout ! Il voudrait qu'on dît de toutes les femmes possibles ce qu'on dit de la sienne.

110   SALVIATI.   N'est-ce pas Louise Strozzi qui passe sur ce tertre ?

LE MARCHAND.   Elle-même, Seigneurie. Peu de dames de notre noblesse me sont inconnues. Si je ne me trompe, elle donne la main à sa sœur cadette.

SALVIATI.   J'ai rencontré cette Louise la nuit dernière au bal
115   des Nasi. Elle a, ma foi, une jolie jambe, et nous devons coucher ensemble au premier jour.

LE PRIEUR, *se retournant.*   Comment l'entendez-vous ?

SALVIATI.   Cela est clair, elle me l'a dit. Je lui tenais l'étrier, ne pensant guère à malice ; je ne sais par quelle distraction
120   je lui pris la jambe, et voilà comme tout est venu.

LE PRIEUR.   Julien, je ne sais pas si tu sais que c'est de ma sœur que tu parles.

SALVIATI.   Je le sais très bien ; toutes les femmes sont faites pour coucher avec les hommes, et ta sœur peut bien coucher
125   avec moi.

LE PRIEUR *se lève.*   Vous dois-je quelque chose, brave homme ?
Il jette une pièce de monnaie sur la table, et sort.

SALVIATI.   J'aime beaucoup ce brave prieur, à qui un propos
sur sa sœur a fait oublier le reste de son argent. Ne dirait-
on pas que toute la vertu de Florence s'est réfugiée chez ces
130 Strozzi ? Le voilà qui se retourne. Écarquille les yeux tant
que tu voudras, tu ne me feras pas peur.

SCÈNE 6.

Le bord de l'Arno[1].

MARIE SODERINI, CATHERINE.

CATHERINE.   Le soleil commence à baisser. De larges bandes
de pourpre traversent le feuillage, et la grenouille fait sonner
sous les roseaux sa petite cloche de cristal. C'est une singulière
chose que toutes les harmonies du soir avec le bruit lointain
5 de cette ville.

MARIE.   Il est temps de rentrer ; noue ton voile autour de
ton cou.

CATHERINE.   Pas encore, à moins que vous n'ayez froid.
Regardez, ma mère chérie[2] ; que le ciel est beau ! que tout

---

1. *L'Arno :* fleuve qui traverse Florence (voir p. 25 et 174).
2. « Catherine Ginori est belle-sœur de Marie ; elle lui donne le nom
de ''mère'' parce qu'il y a entre elles une différence d'âge très grande :
Catherine n'a guère que vingt-deux ans. » (Note de A. de Musset.)

10 cela est vaste et tranquille ! comme Dieu est partout ! Mais vous baissez la tête ; vous êtes inquiète depuis ce matin.

MARIE.   Inquiète, non, mais affligée. N'as-tu pas entendu répéter cette fatale histoire de Lorenzo ? Le voilà la fable de Florence.

15 CATHERINE.   Ô ma mère ! la lâcheté n'est point un crime, le courage n'est pas une vertu ; pourquoi la faiblesse serait-elle blâmable ? Répondre des battements de son cœur est un triste privilège. Et pourquoi cet enfant n'aurait-il pas le droit que nous avons toutes, nous autres femmes ? Une femme
20 qui n'a peur de rien n'est pas aimable, dit-on.

MARIE.   Aimerais-tu un homme qui a peur ? Tu rougis, Catherine ; Lorenzo est ton neveu, mais figure-toi qu'il s'appelle de tout autre nom, qu'en penserais-tu ? Quelle femme voudrait s'appuyer sur son bras pour monter à cheval ? quel homme
25 lui serrerait la main ?

CATHERINE.   Cela est triste, et cependant ce n'est pas de cela que je le plains. Son cœur n'est peut-être pas celui d'un Médicis ; mais, hélas ! c'est encore moins celui d'un honnête homme.

30 MARIE.   N'en parlons pas, Catherine — il est assez cruel pour une mère de ne pouvoir parler de son fils.

CATHERINE.   Ah ! cette Florence ! c'est là qu'on l'a perdu ! N'ai-je pas vu briller quelquefois dans ses yeux le feu d'une noble ambition ? Sa jeunesse n'a-t-elle pas été l'aurore d'un
35 soleil levant ? Et souvent encore aujourd'hui il me semble qu'un éclair rapide... Je me dis malgré moi que tout n'est pas mort en lui.

MARIE.   Ah ! tout cela est un abîme ! Tant de facilité, un si doux amour de la solitude ! Ce ne sera jamais un guerrier
40 que mon Renzo, disais-je en le voyant rentrer de son collège, avec ses gros livres sous le bras ; mais un saint amour de la vérité brillait sur ses lèvres et dans ses yeux noirs ; il lui fallait s'inquiéter de tout, dire sans cesse : « Celui-là est pauvre,

69

celui-là est ruiné ; comment faire ? » Et cette admiration pour
45 les grands hommes de son Plutarque[1] ! Catherine, Catherine,
que de fois je l'ai baisé au front en pensant au père de la
patrie[2] !

CATHERINE. Ne vous affligez pas.

MARIE. Je dis que je ne veux pas parler de lui, et j'en parle
50 sans cesse. Il y a de certaines choses, vois-tu, les mères ne
s'en taisent que dans le silence éternel. Que mon fils eût été
un débauché vulgaire, que le sang des Soderini[3] eût été pâle
dans cette faible goutte tombée de mes veines, je ne me
désespérerais pas ; mais j'ai espéré et j'ai eu raison de le faire.
55 Ah ! Catherine, il n'est même plus beau ; comme une fumée
malfaisante, la souillure de son cœur lui est montée au visage.
Le sourire, ce doux épanouissement qui rend la jeunesse
semblable aux fleurs, s'est enfui de ses joues couleur de
soufre, pour y laisser grommeler une ironie ignoble et le
60 mépris de tout.

CATHERINE. Il est encore beau quelquefois dans sa mélancolie
étrange.

MARIE. Sa naissance ne l'appelait-elle pas au trône[4] ? N'aurait-
il pas pu y faire monter un jour avec lui la science d'un
65 docteur, la plus belle jeunesse du monde, et couronner d'un

---

1. *Plutarque :* biographe et moraliste grec (v. 50 - v. 125 apr. J.-C.)
dont les *Vies parallèles des hommes illustres* ont exercé une grande
influence durant la Renaissance.
2. *Père de la patrie :* Côme de Médicis, dit Côme l'Ancien (1389-
1464).
3. *Soderini :* famille maternelle de Lorenzo, qui dirigea la ville pendant
l'exil des Médicis de 1502 à 1512.
4. À la mort de Léon X en 1521, la branche aînée des Médicis n'avait
plus de descendant légitime (Alexandre est un bâtard). Marie pouvait
donc espérer que le pouvoir reviendrait à son fils (voir p. 12-13).
Cependant, le terme de « trône » est mal choisi puisque, avant 1530,
la fiction démocratique est maintenue à Florence (voir p. 14).

diadème d'or tous mes songes chéris ? Ne devais-je pas m'attendre à cela ? Ah ! Cattina[1], pour dormir tranquille, il faut n'avoir jamais fait certains rêves. Cela est trop cruel d'avoir vécu dans un palais de fées, où murmuraient les
70 cantiques des anges, de s'y être endormie, bercée par son fils, et de se réveiller dans une masure ensanglantée, pleine de débris d'orgie et de restes humains, dans les bras d'un spectre hideux qui vous tue en vous appelant encore du nom de mère.

75 CATHERINE. Des ombres silencieuses commencent à marcher sur la route. Rentrons, Marie, tous ces bannis me font peur.

MARIE. Pauvres gens ! ils ne doivent que faire pitié ! Ah ! ne puis-je voir un seul objet qu'il ne m'entre une épine dans le cœur ? Ne puis-je plus ouvrir les yeux ? Hélas ! ma Cattina,
80 ceci est encore l'ouvrage de Lorenzo. Tous ces pauvres bourgeois ont eu confiance en lui ; il n'en est pas un parmi tous ces pères de famille chassés de leur patrie, que mon fils n'ait trahi. Leurs lettres, signées de leurs noms, sont montrées au duc. C'est ainsi qu'il fait tourner à un infâme usage jusqu'à
85 la glorieuse mémoire de ses aïeux. Les républicains s'adressent à lui comme à l'antique rejeton de leur protecteur ; sa maison leur est ouverte, les Strozzi eux-mêmes y viennent. Pauvre Philippe ! il y aura une triste fin pour tes cheveux gris ! Ah ! ne puis-je voir une fille sans pudeur, un malheureux privé de
90 sa famille, sans que tout cela ne me crie : Tu es la mère de nos malheurs ! Quand serai-je là ?
Elle frappe la terre.

CATHERINE. Ma pauvre mère, vos larmes se gagnent.
Elles s'éloignent. — Le soleil est couché. — Un groupe de bannis se forme au milieu d'un champ.

---

1. *Cattina* : diminutif de Catherine.

Un des Bannis. Où allez-vous ?

Un Autre. À Pise ; et vous ?

95 Le Premier. À Rome.

Un Autre. Et moi à Venise ; en voilà deux qui vont à Ferrare. Que deviendrons-nous ainsi éloignés les uns des autres ?

Un Quatrième. Adieu, voisin, à des temps meilleurs.
Il s'en va.

100 Le Second. Adieu ; pour nous, nous pouvons aller ensemble jusqu'à la croix de la Vierge.
Il sort avec un autre. — Arrive Maffio.

Le premier Banni. C'est toi, Maffio ? par quel hasard es-tu ici ?

Maffio. Je suis des vôtres. Vous saurez que le duc a enlevé
105 ma sœur. J'ai tiré l'épée ; une espèce de tigre avec des membres de fer s'est jeté à mon cou et m'a désarmé. Après quoi j'ai reçu l'ordre de sortir de la ville, et une bourse à moitié pleine de ducats.

Le second Banni. Et ta sœur, où est-elle ?

110 Maffio. On me l'a montrée ce soir sortant du spectacle dans une robe comme n'en a pas l'impératrice ; que Dieu lui pardonne ! Une vieille l'accompagnait, qui a laissé trois de ses dents à la sortie. Jamais je n'ai donné de ma vie un coup de poing qui m'ait fait ce plaisir-là.

115 Le troisième Banni. Qu'ils crèvent tous dans leur fange crapuleuse, et nous mourrons contents.

Le Quatrième. Philippe Strozzi nous écrira à Venise ; quelque jour nous serons tout étonnés de trouver une armée à nos ordres.

120 Le Troisième. Que Philippe vive longtemps ! tant qu'il y aura un cheveu sur sa tête, la liberté de l'Italie n'est pas morte.
Une partie du groupe se détache ; tous les bannis s'embrassent.

UNE VOIX.   À des temps meilleurs.

UNE AUTRE.   À des temps meilleurs.
Deux bannis montent sur une plate-forme d'où l'on découvre la ville.

125 LE PREMIER.   Adieu, Florence, peste de l'Italie ; adieu, mère stérile, qui n'as plus de lait pour tes enfants.

LE SECOND.   Adieu, Florence la bâtarde, spectre hideux de l'antique Florence ; adieu, fange sans nom.

TOUS LES BANNIS.   Adieu, Florence ! maudites soient les
130 mamelles de tes femmes ! maudits soient tes sanglots ! maudites les prières de tes églises, le pain de tes blés, l'air de tes rues ! Malédiction sur la dernière goutte de ton sang corrompu !

Sur l'ensemble de l'acte I

STRUCTURE DE L'ACTE

1. Les scènes 2 et 5 encadrent deux autres scènes où l'action s'engage (intrigue Cibo à la scène 3, intrigue Lorenzo à la scène 4). Comment la scène 5 renforce-t-elle et prolonge-t-elle la scène 2 (début de l'intrigue Strozzi) ?

2. En quoi la première partie de la scène 6 fait-elle un contraste, à la fois avec l'ensemble de l'acte, et avec ce que nous avons déjà appris de Lorenzo ? Quel nouveau trait propre à Lorenzo apparaît en fin d'acte ?

3. Étudiez la dramatisation progressive et les effets de contraste entre les diverses scènes.

SYMBOLES

4. Montrez comment les deux fêtes, la noce des Nasi et la foire de Montolivet, mettent en évidence l'ambiguïté de ce mot du bourgeois : « Au diable leur noce ! » (l. 3-4, sc. 2). Vous réfléchirez aux diverses acceptions (emploi des mots dans un ou plusieurs sens particuliers) du mot « noce ».

5. Étudiez le thème romantique de la grande ville (notez que cet acte établit une géographie de Florence) : le paysage est-il toujours ici un état d'âme ? Quelle est l'âme de Florence ? Citez le texte.

DIAGRAMME DE LA SITUATION
POLITIQUE ET MORALE

6. Quelle est la place de la religion ?

7. Comment apparaît le peuple ?

8. Quelles sont les composantes du thème de la débauche ? Étudiez les différentes occurrences (voir p. 255) de ce thème, leur(s) signification(s) symbolique(s), etc.

Acte II

SCÈNE PREMIÈRE.

Chez les Strozzi.

PHILIPPE, *dans son cabinet.* Dix citoyens bannis dans ce quartier-ci seulement ! le vieux Galeazzo et le petit Maffio bannis, sa sœur corrompue, devenue une fille publique en une nuit ! Pauvre petite ! Quand l'éducation des basses classes
5 sera-t-elle assez forte pour empêcher les petites filles de rire lorsque leurs parents pleurent ! La corruption est-elle donc une loi de nature ? Ce qu'on appelle la vertu, est-ce donc l'habit du dimanche qu'on met pour aller à la messe ? Le reste de la semaine, on est à la croisée[1], et, tout en tricotant,
10 on regarde les jeunes gens passer. Pauvre humanité ! quel nom portes-tu donc ? celui de ta race, ou celui de ton baptême[2] ? Et nous autres vieux rêveurs, quelle tache originelle avons-nous lavée sur la face humaine depuis quatre ou cinq mille ans que nous jaunissons avec nos livres ? Qu'il t'est
15 facile à toi, dans le silence du cabinet, de tracer d'une main légère une ligne mince et pure comme un cheveu sur ce papier blanc ! qu'il t'est facile de bâtir des palais et des villes avec ce petit compas et un peu d'encre ! Mais l'architecte qui a dans son pupitre des milliers de plans admirables ne peut
20 soulever de terre le premier pavé de son édifice, quand il vient se mettre à l'ouvrage avec son dos voûté et ses idées

---

1. *Croisée :* fenêtre.
2. Philippe hésite entre une humanité maudite marquée par la faute originelle et une humanité purifiée et aspirant au bien grâce au baptême, qui lave le péché originel.

obstinées. Que le bonheur des hommes ne soit qu'un rêve, cela est pourtant dur ; que le mal soit irrévocable, éternel, impossible à changer... non ! Pourquoi le philosophe qui

25 travaille pour tous regarde-t-il autour de lui ? voilà le tort. Le moindre insecte qui passe devant ses yeux lui cache le soleil. Allons-y donc plus hardiment ! la république, il nous faut ce mot-là. Et quand ce ne serait qu'un mot, c'est quelque chose, puisque les peuples se lèvent quand il traverse l'air... Ah !

30 bonjour, Léon.

Entre le prieur de Capoue.

LE PRIEUR. Je viens de la foire de Montolivet.

PHILIPPE. Était-ce beau ? Te voilà aussi, Pierre ? Assieds-toi donc ; j'ai à te parler.

Entre Pierre Strozzi.

LE PRIEUR. C'était très beau, et je me suis assez amusé, sauf

35 certaine contrariété un peu trop forte que j'ai quelque peine à digérer.

PIERRE. Bah ! qu'est-ce donc ?

LE PRIEUR. Figurez-vous que j'étais entré dans une boutique pour prendre un verre de limonade... Mais non, cela est

40 inutile... je suis un sot de m'en souvenir.

PHILIPPE. Que diable as-tu sur le cœur ? tu parles comme une âme en peine.

LE PRIEUR. Ce n'est rien, un méchant propos, rien de plus. Il n'y a aucune importance à attacher à tout cela.

45 PIERRE. Un propos ? sur qui ? sur toi ?

LE PRIEUR. Non pas sur moi précisément. Je me soucierais bien d'un propos sur moi.

PIERRE. Sur qui donc ? Allons, parle, si tu veux.

LE PRIEUR. J'ai tort ; on ne se souvient pas de ces choses-

50 là quand on sait la différence d'un honnête homme à un Salviati.

PIERRE. Salviati ? Qu'a dit cette canaille ?

LE PRIEUR.   C'est un misérable, tu as raison. Qu'importe ce qu'il peut dire ? Un homme sans pudeur, un valet de cour, qui, à ce qu'on raconte, a pour femme la plus grande dévergondée ! Allons, voilà qui est fait, je n'y penserai pas davantage.

PIERRE.   Penses-y et parle, Léon ; c'est-à-dire que cela me démange de lui couper les oreilles. De qui a-t-il médit ? De nous ? de mon père ? Ah ! sang du Christ, je ne l'aime guère, ce Salviati. Il faut que je sache cela, entends-tu ?

LE PRIEUR.   Si tu y tiens, je te le dirai. Il s'est exprimé devant moi, dans une boutique, d'une manière vraiment offensante sur le compte de notre sœur.

PIERRE.   Ô mon Dieu ! Dans quels termes ? Allons, parle donc !

LE PRIEUR.   Dans les termes les plus grossiers.

PIERRE.   Diable de prêtre que tu es ! tu me vois hors de moi d'impatience, et tu cherches tes mots ! Dis les choses comme elles sont, parbleu ! un mot est un mot ; il n'y a pas de bon Dieu qui tienne.

PHILIPPE.   Pierre, Pierre ! tu manques à ton frère.

LE PRIEUR.   Il a dit qu'il coucherait avec elle, voilà son mot, et qu'elle le lui avait promis.

PIERRE.   Qu'elle couch... Ah ! mort de mort, de mille morts ! Quelle heure est-il ?

PHILIPPE.   Où vas-tu ? Allons, es-tu fait de salpêtre[1] ? Qu'as-tu à faire de cette épée ? tu en as une au côté.

PIERRE.   Je n'ai rien à faire ; allons dîner, le dîner est servi. *Ils sortent.*

---

1. *Salpêtre :* le salpêtre servant à fabriquer la poudre de guerre, être fait de salpêtre, c'est être vif et ardent, prompt à s'emporter.

SCÈNE 2.

Le portail d'une église.

Entrent LORENZO *et* VALORI.

VALORI.   Comment se fait-il que le duc n'y vienne pas ?
Ah ! monsieur, quelle satisfaction pour un chrétien que ces
pompes magnifiques de l'Église romaine ! Quel homme pourrait
y être insensible ? L'artiste ne trouve-t-il pas là le paradis de
5 son cœur ? Le guerrier, le prêtre et le marchand n'y rencontrent-
ils pas tout ce qu'ils aiment ? Cette admirable harmonie des
orgues, ces tentures éclatantes de velours et de tapisseries, ces
tableaux des premiers maîtres, les parfums tièdes et suaves
que balancent les encensoirs, et les chants délicieux de ces
10 voix argentines, tout cela peut choquer, par son ensemble
mondain, le moine sévère et ennemi du plaisir. Mais rien
n'est plus beau, selon moi, qu'une religion qui se fait aimer
par de pareils moyens. Pourquoi les prêtres voudraient-ils
servir un Dieu jaloux ? La religion n'est pas un oiseau de
15 proie ; c'est une colombe compatissante qui plane doucement
sur tous les rêves et sur tous les amours.

LORENZO.   Sans doute ; ce que vous dites là est parfaitement
vrai, et parfaitement faux, comme tout au monde.

TEBALDEO FRECCIA, *s'approchant de Valori*.   Ah ! monseigneur,
20 qu'il est doux de voir un homme tel que Votre Éminence
parler ainsi de la tolérance et de l'enthousiasme sacré !
Pardonnez à un citoyen obscur, qui brûle de ce feu divin, de
vous remercier de ce peu de paroles que je viens d'entendre.
Trouver sur les lèvres d'un honnête homme ce qu'on a soi-
25 même dans le cœur, c'est le plus grand des bonheurs qu'on
puisse désirer.

VALORI.   N'êtes-vous pas le petit Freccia ?

TEBALDEO. Mes ouvrages ont peu de mérite ; je sais mieux aimer les arts que je ne sais les exercer. Ma jeunesse tout
30 entière s'est passée dans les églises. Il me semble que je ne puis admirer ailleurs Raphaël[1] et notre divin Buonarroti[2]. Je demeure alors durant des journées devant leurs ouvrages, dans une extase sans égale. Le chant de l'orgue me révèle leur pensée, et me fait pénétrer dans leur âme ; je regarde les
35 personnages de leurs tableaux si saintement agenouillés, et j'écoute, comme si les cantiques du chœur sortaient de leurs bouches entr'ouvertes. Des bouffées d'encens aromatique passent entre eux et moi dans une vapeur légère. Je crois y voir la gloire de l'artiste ; c'est aussi une triste et douce
40 fumée, et qui ne serait qu'un parfum stérile, si elle ne montait à Dieu.

VALORI. Vous êtes un vrai cœur d'artiste ; venez à mon palais, et ayez quelque chose sous votre manteau quand vous y viendrez. Je veux que vous travailliez pour moi.

45 TEBALDEO. C'est trop d'honneur que me fait Votre Éminence. Je suis un desservant bien humble de la sainte religion de la peinture.

LORENZO. Pourquoi remettre vos offres de service ? Vous avez, il me semble, un cadre dans les mains.

50 TEBALDEO. Il est vrai ; mais je n'ose le montrer à de si grands connaisseurs. C'est une esquisse bien pauvre d'un rêve magnifique.

LORENZO. Vous faites le portrait de vos rêves ? Je ferai poser pour vous quelques-uns des miens.

---

1. *Raphaël* : très célèbre peintre (1483 - 1520), qui avait travaillé à Florence avant de devenir le peintre officiel de la papauté.
2. *Buonarroti* : peintre, sculpteur, architecte et poète connu sous le nom de Michel-Ange (1475 - 1564). Il travailla, notamment, à Florence.

55 TEBALDEO. Réaliser des rêves, voilà la vie du peintre. Les plus grands ont représenté les leurs dans toute leur force, et sans y rien changer. Leur imagination était un arbre plein de sève ; les bourgeons s'y métamorphosaient sans peine en fleurs, et les fleurs en fruits ; bientôt ces fruits mûrissaient à

60 un soleil bienfaisant, et, quand ils étaient mûrs, ils se détachaient d'eux-mêmes et tombaient sur la terre, sans perdre un seul grain de leur poussière virginale. Hélas ! les rêves des artistes médiocres sont des plantes difficiles à nourrir, et qu'on arrose de larmes bien amères pour les faire bien peu prospérer. *Il montre son tableau.*

65 VALORI. Sans compliment, cela est beau — non pas du premier mérite, il est vrai — pourquoi flatterais-je un homme qui ne se flatte pas lui-même ? Mais votre barbe n'est pas encore poussée, jeune homme.

LORENZO. Est-ce un paysage ou un portrait ? De quel côté

70 faut-il le regarder, en long ou en large ?

TEBALDEO. Votre Seigneurie se rit de moi. C'est la vue du Campo Santo[1].

LORENZO. Combien y a-t-il d'ici à l'immortalité ?

VALORI. Il est mal à vous de plaisanter cet enfant. Voyez

75 comme ses grands yeux s'attristent à chacune de vos paroles.

TEBALDEO. L'immortalité, c'est la foi. Ceux à qui Dieu a donné des ailes y arrivent en souriant.

VALORI. Tu parles comme un élève de Raphaël.

TEBALDEO. Seigneur, c'était mon maître. Ce que j'ai appris

80 vient de lui.

LORENZO. Viens chez moi, je te ferai peindre la Mazzafirra toute nue.

---

1. *Campo Santo :* cimetière de Florence.

TEBALDEO. Je ne respecte point mon pinceau, mais je respecte mon art. Je ne puis faire le portrait d'une courtisane.

85 LORENZO. Ton Dieu s'est bien donné la peine de la faire ; tu peux bien te donner celle de la peindre. Veux-tu me faire une vue de Florence ?

TEBALDEO. Oui, monseigneur.

LORENZO. Comment t'y prendrais-tu ?

90 TEBALDEO. Je me placerais à l'orient, sur la rive gauche de l'Arno. C'est de cet endroit que la perspective est la plus large et la plus agréable.

LORENZO. Tu peindrais Florence, les places, les maisons et les rues ?

95 TEBALDEO. Oui, monseigneur.

LORENZO. Pourquoi donc ne peux-tu peindre une courtisane, si tu peux peindre un mauvais lieu ?

TEBALDEO. On ne m'a point encore appris à parler ainsi de ma mère.

100 LORENZO. Qu'appelles-tu ta mère ?

TEBALDEO. Florence, seigneur.

LORENZO. Alors, tu n'es qu'un bâtard, car ta mère n'est qu'une catin.

TEBALDEO. Une blessure sanglante peut engendrer la
105 corruption dans le corps le plus sain. Mais des gouttes précieuses du sang de ma mère sort une plante odorante qui guérit tous les maux. L'art, cette fleur divine, a quelquefois besoin du fumier pour engraisser le sol et le féconder.

LORENZO. Comment entends-tu ceci ?

110 TEBALDEO. Les nations paisibles et heureuses ont quelquefois brillé d'une clarté pure, mais faible. Il y a plusieurs cordes à la harpe des anges ; le zéphyr peut murmurer sur les plus faibles, et tirer de leur accord une harmonie suave et délicieuse ; mais la corde d'argent ne s'ébranle qu'au passage du vent du

81

115 nord. C'est la plus belle et la plus noble ; et cependant le toucher d'une rude main lui est favorable. L'enthousiasme est frère de la souffrance.

LORENZO. C'est-à-dire qu'un peuple malheureux fait les grands artistes. Je me ferais volontiers l'alchimiste de ton
120 alambic[1] ; les larmes des peuples y retombent en perles. Par la mort du diable ! tu me plais. Les familles peuvent se désoler, les nations mourir de misère, cela échauffe la cervelle de monsieur. Admirable poète ! comment arranges-tu tout cela avec ta piété ?

125 TEBALDEO. Je ne ris point du malheur des familles ; je dis que la poésie est la plus douce des souffrances, et qu'elle aime ses sœurs. Je plains les peuples malheureux, mais je crois en effet qu'ils font les grands artistes. Les champs de bataille font pousser les moissons, les terres corrompues
130 engendrent le blé céleste.

LORENZO. Ton pourpoint est usé ; en veux-tu un à ma livrée ?

TEBALDEO. Je n'appartiens à personne. Quand la pensée veut être libre, le corps doit l'être aussi.

135 LORENZO. J'ai envie de dire à mon valet de chambre de te donner des coups de bâton.

TEBALDEO. Pourquoi, monseigneur ?

LORENZO. Parce que cela me passe par la tête. Es-tu boiteux de naissance ou par accident ?

140 TEBALDEO. Je ne suis pas boiteux ; que voulez-vous dire par là ?

LORENZO. Tu es boiteux ou tu es fou.

TEBALDEO. Pourquoi, monseigneur ? Vous vous riez de moi.

---

1. *Alambic* : appareil servant à la distillation.

LORENZO. Si tu n'étais pas boiteux, comment resterais-tu, à
145 moins d'être fou, dans une ville où, en l'honneur de tes idées
de liberté, le premier valet d'un Médicis peut t'assommer sans
qu'on y trouve à redire ?

TEBALDEO. J'aime ma mère Florence ; c'est pourquoi je reste
chez elle. Je sais qu'un citoyen peut être assassiné en plein
150 jour et en pleine rue, selon le caprice de ceux qui la
gouvernent ; c'est pourquoi je porte ce stylet à ma ceinture.

LORENZO. Frapperais-tu le duc si le duc te frappait, comme
il lui est arrivé souvent de commettre, par partie de plaisir,
des meurtres facétieux[1] ?

155 TEBALDEO. Je le tuerais, s'il m'attaquait.

LORENZO. Tu me dis cela, à moi ?

TEBALDEO. Pourquoi m'en voudrait-on ? je ne fais de mal
à personne. Je passe les journées à l'atelier. Le dimanche, je
vais à l'Annonciade ou à Sainte-Marie[2] ; les moines trouvent
160 que j'ai de la voix ; ils me mettent une robe blanche et une
calotte rouge, et je fais ma partie dans les chœurs, quelquefois
un petit solo : ce sont les seules occasions où je vais en
public. Le soir, je vais chez ma maîtresse, et quand la nuit
est belle, je la passe sur son balcon. Personne ne me connaît,
165 et je ne connais personne ; à qui ma vie ou ma mort peut-
elle être utile ?

LORENZO. Es-tu républicain ? aimes-tu les princes ?

TEBALDEO. Je suis artiste ; j'aime ma mère et ma maîtresse.

LORENZO. Viens demain à mon palais, je veux te faire faire
170 un tableau d'importance pour le jour de mes noces.
Ils sortent.

---

1. *Facétieux :* commis dans le seul but de s'amuser.
2. *Annonciade ... Sainte-Marie :* églises de Florence.

Acte II Scène 2

LE PUR ET L'IMPUR

1. Analysez la dialectique du pur et de l'impur : comparaisons, métaphores, incarnations montrent que chez Musset elle n'est pas abstraite, mais concrète. En quoi le style devient-il lyrique à ce propos ?

L'ART

2. Quelle conception de l'art est développée par Tebaldeo ? Comparez-la avec ces lignes de l'*Encyclopédie* :
« La poésie veut quelque chose d'énorme, de barbare et de sauvage. C'est lorsque la fureur de la guerre civile ou du fanatisme arme les hommes de poignards, et que le sang coule à grands flots sur la terre, que le laurier d'Apollon s'agite et verdit. Il en veut être arrosé. Il se flétrit dans les temps de la paix et du loisir. » (Article « génie », 1757.)
Comparez-la également avec ce que dit Chateaubriand dans les 3e et 4e parties du *Génie du christianisme* (1802).

3. D'après cette scène, pensez-vous que Musset adhère totalement à cette idéologie de l'art, comme seul salut de l'homme et seul remède au désespoir ? Justifiez votre réponse.

UN PEINTRE POUR UN MEURTRE

4. En quoi le personnage de Tebaldeo, qui ne réapparaît que fugitivement à la scène 6 de l'acte II, est-il pourtant essentiel ?

5. Que pensez-vous du fait que Tebaldeo accepte de peindre Florence, alors qu'il refuse de peindre une courtisane ? D'ailleurs, quand Lorenzo lui demande « une vue de Florence » (l. 87), s'agit-il simplement de peindre la ville ? Justifiez votre réponse.

SCÈNE 3.

Chez la marquise Cibo.

Le Cardinal, *seul.*   Oui, je suivrai tes ordres, Farnèse[1] ! Que ton commissaire apostolique s'enferme avec sa probité dans le cercle étroit de son office, je remuerai d'une main ferme la terre glissante sur laquelle il n'ose marcher. Tu attends cela
5 de moi, je l'ai compris, et j'agirai sans parler, comme tu as commandé. Tu as deviné qui j'étais, lorsque tu m'as placé auprès d'Alexandre sans me revêtir d'aucun titre qui me donnât quelque pouvoir sur lui. C'est d'un autre qu'il se défiera, en m'obéissant à son insu. Qu'il épuise sa force
10 contre des ombres d'hommes gonflés d'une ombre de puissance, je serai l'anneau invisible qui l'attachera, pieds et poings liés, à la chaîne de fer dont Rome et César tiennent les deux bouts. Si mes yeux ne me trompent pas, c'est dans cette maison qu'est le marteau dont je me servirai. Alexandre aime
15 ma belle-sœur ; que cet amour l'ait flattée, cela est croyable ; ce qui peut en résulter est douteux ; mais ce qu'elle en veut faire, c'est là ce qui est certain pour moi. Qui sait jusqu'où pourrait aller l'influence d'une femme exaltée, même sur cet homme grossier, sur cette armure vivante ? Un si doux péché
20 pour une si belle cause, cela est tentant, n'est-il pas vrai, Ricciarda ? Presser ce cœur de lion sur ton faible cœur tout percé de flèches sanglantes, comme celui de saint Sébastien ; parler, les yeux en pleurs, des malheurs de la patrie, pendant que le tyran adoré passera ses rudes mains dans ta chevelure
25 dénouée ; faire jaillir d'un rocher l'étincelle sacrée, cela valait bien le petit sacrifice de l'honneur conjugal, et de quelques

---

1. *Farnèse :* « le pape Paul III » (note de A. de Musset).

autres bagatelles. Florence y gagnerait tant, et ces bons maris n'y perdent rien ! Mais il ne fallait pas me prendre pour confesseur. La voici qui s'avance, son livre de prières à la
30 main. Aujourd'hui donc tout va s'éclaircir — laisse seulement tomber ton secret dans l'oreille du prêtre ; le courtisan pourra bien en profiter, mais, en conscience, il n'en dira rien.
Entre la marquise.

LE CARDINAL, *s'asseyant.* Me voilà prêt.
La marquise s'agenouille auprès de lui sur son prie-Dieu.

LA MARQUISE. Bénissez-moi, mon père, parce que j'ai péché.

35 LE CARDINAL. Avez-vous dit votre *Confiteor*[1] ? Nous pouvons commencer, marquise.

LA MARQUISE. Je m'accuse de mouvements de colère, de doutes irréligieux et injurieux pour notre saint-père le pape.

LE CARDINAL. Continuez.

40 LA MARQUISE. J'ai dit hier, dans une assemblée, à propos de l'évêque de Fano, que la sainte Église catholique était un lieu de débauche.

LE CARDINAL. Continuez.

LA MARQUISE. J'ai écouté des discours contraires à la fidélité
45 que j'ai jurée à mon mari.

LE CARDINAL. Qui vous a tenu ces discours ?

LA MARQUISE. J'ai lu une lettre écrite dans la même pensée.

LE CARDINAL. Qui vous a écrit cette lettre ?

LA MARQUISE. Je m'accuse de ce que j'ai fait, et non de
50 ce qu'ont fait les autres.

---

1. *Confiteor : Je confesse,* prière que l'on récite avant la confession (acte nécessaire pour pouvoir communier), où l'on reconnaît ses fautes et où l'on s'en repent.

Le Cardinal. Ma fille, vous devez me répondre, si vous voulez que je puisse vous donner l'absolution en toute sécurité. Avant tout, dites-moi si vous avez répondu à cette lettre.

La Marquise. J'y ai répondu de vive voix, mais non par
55 écrit.

Le Cardinal. Qu'avez-vous répondu ?

La Marquise. J'ai accordé à la personne qui m'avait écrit la permission de me voir comme elle le demandait.

Le Cardinal. Comment s'est passée cette entrevue ?

60 La Marquise. Je me suis accusée déjà d'avoir écouté des discours contraires à mon honneur.

Le Cardinal. Comment y avez-vous répondu ?

La Marquise. Comme il convient à une femme qui se respecte.

65 Le Cardinal. N'avez-vous point laissé entrevoir qu'on finirait par vous persuader ?

La Marquise. Non, mon père.

Le Cardinal. Avez-vous annoncé à la personne dont il s'agit la résolution de ne plus écouter de semblables discours
70 à l'avenir ?

La Marquise. Oui, mon père.

Le Cardinal. Cette personne vous plaît-elle ?

La Marquise. Mon cœur n'en sait rien, j'espère.

Le Cardinal. Avez-vous averti votre mari ?

75 La Marquise. Non, mon père. Une honnête femme ne doit point troubler son ménage par des récits de cette sorte.

Le Cardinal. Ne me cachez-vous rien ? Ne s'est-il rien passé entre vous et la personne dont il s'agit, que vous hésitiez à me confier ?

80 La Marquise. Rien, mon père.

87

LE CARDINAL.   Pas un regard tendre ? pas un baiser pris à la dérobée ?

LA MARQUISE.   Non, mon père.

LE CARDINAL.   Cela est-il sûr, ma fille[1] ?

85   LA MARQUISE.   Mon beau-frère, il me semble que je n'ai pas l'habitude de mentir devant Dieu.

LE CARDINAL.   Vous avez refusé de me dire le nom que je vous ai demandé tout à l'heure ; je ne puis cependant vous donner l'absolution sans le savoir.

90   LA MARQUISE.   Pourquoi cela ? Lire une lettre peut être un péché, mais non pas lire une signature. Qu'importe le nom à la chose ?

LE CARDINAL.   Il importe plus que vous ne pensez.

LA MARQUISE.   Malaspina, vous en voulez trop savoir.
95   Refusez-moi l'absolution, si vous voulez ; je prendrai pour confesseur le premier prêtre venu, qui me la donnera.
Elle se lève.

LE CARDINAL.   Quelle violence, marquise ! Est-ce que je ne sais pas que c'est du duc que vous voulez parler ?

LA MARQUISE.   Du duc ! — Eh bien ! si vous le savez,
100   pourquoi voulez-vous me le faire dire ?

LE CARDINAL.   Pourquoi refusez-vous de le dire ? Cela m'étonne.

LA MARQUISE.   Et qu'en voulez-vous faire, vous, mon confesseur ? Est-ce pour le répéter à mon mari que vous tenez
105   si fort à l'entendre ? Oui, cela est bien certain ; c'est un tort que d'avoir pour confesseur un de ses parents. Le ciel m'est témoin qu'en m'agenouillant devant vous, j'oublie que je suis votre belle-sœur ; mais vous prenez soin de me le rappeler.

---

1. *Ma fille* : c'est le prêtre qui parle à sa pénitente.

Prenez garde, Cibo, prenez garde à votre salut éternel, tout
110 cardinal que vous êtes.

LE CARDINAL.   Revenez donc à cette place, marquise ; il n'y
a pas tant de mal que vous croyez.

LA MARQUISE.   Que voulez-vous dire ?

LE CARDINAL.   Qu'un confesseur doit tout savoir, parce qu'il
115 peut tout diriger, et qu'un beau-frère ne doit rien dire, à
certaines conditions.

LA MARQUISE.   Quelles conditions ?

LE CARDINAL.   Non, non, je me trompe ; ce n'était pas ce
mot-là que je voulais employer. Je voulais dire que le duc est
120 puissant, qu'une rupture avec lui peut nuire aux plus riches
familles ; mais qu'un secret d'importance entre des mains
expérimentées peut devenir une source de biens abondante.

LA MARQUISE.   Une source de biens ! — des mains
expérimentées ! — Je reste là, en vérité, comme une statue.
125 Que couves-tu, prêtre, sous ces paroles ambiguës ? Il y a
certains assemblages de mots qui passent par instants sur vos
lèvres, à vous autres ; on ne sait qu'en penser.

LE CARDINAL.   Revenez donc vous asseoir là, Ricciarda. Je
ne vous ai point encore donné l'absolution.

130 LA MARQUISE.   Parlez toujours ; il n'est pas prouvé que j'en
veuille.

LE CARDINAL, *se levant.*   Prenez garde à vous, marquise !
Quand on veut me braver en face, il faut avoir une armure
solide et sans défaut ; je ne veux point menacer, je n'ai qu'un
135 mot à vous dire : prenez un autre confesseur.
Il sort.

LA MARQUISE, *seule.*   Cela est inouï. S'en aller en serrant
les poings, les yeux enflammés de colère ! Parler de mains
expérimentées, de direction à donner à certaines choses ! Eh !
mais qu'y a-t-il donc ? Qu'il voulût pénétrer mon secret pour
140 en informer mon mari, je le conçois ; mais, si ce n'est pas là

son but, que veut-il donc faire de moi ? La maîtresse du
duc ? Tout savoir, dit-il, et tout diriger ! — Cela n'est pas
possible ! — Il y a quelque autre mystère plus sombre et plus
inexplicable là-dessous ; Cibo ne ferait pas un pareil métier.
145 Non ! cela est sûr ; je le connais. C'est bon pour un
Lorenzaccio ; mais lui ! il faut qu'il ait quelque sourde pensée,
plus vaste que cela et plus profonde. Ah ! comme les hommes
sortent d'eux-mêmes tout à coup après dix ans de silence !
Cela est effrayant. Maintenant, que ferai-je ? Est-ce que j'aime
150 Alexandre ? Non, je ne l'aime pas, non, assurément ;
j'ai dit que non dans ma confession, et je n'ai pas menti.
Pourquoi Laurent est-il à Massa ? Pourquoi le duc me presse-
t-il ? Pourquoi ai-je répondu que je ne voulais plus le voir ?
pourquoi ? — Ah ! pourquoi y a-t-il dans tout cela un aimant,
155 un charme inexplicable qui m'attire ? *(Elle ouvre sa fenêtre.)*
Que tu es belle, Florence, mais que tu es triste ! Il y a là
plus d'une maison où Alexandre est entré la nuit, couvert de
son manteau ; c'est un libertin, je le sais. — Et pourquoi est-
ce que tu te mêles à tout cela, toi, Florence ? Qui est-ce donc
160 que j'aime ? Est-ce toi ? Est-ce lui ?

AGNOLO, *entrant.* Madame, Son Altesse vient d'entrer dans
la cour.

LA MARQUISE. Cela est singulier ; ce Malaspina m'a laissée
toute tremblante.

SCÈNE 4.

Au palais des Soderini.

MARIE SODERINI, CATHERINE, LORENZO, *assis*.

CATHERINE, *tenant un livre.*   Quelle histoire vous lirai-je, ma mère ?

MARIE.   Ma Cattina se moque de sa pauvre mère. Est-ce que je comprends rien à tes livres latins ?

5 CATHERINE.   Celui-ci n'est point en latin, mais il en est traduit. C'est l'histoire romaine.

LORENZO.   Je suis très fort sur l'histoire romaine. Il y avait une fois un jeune gentilhomme nommé Tarquin le fils[1].

CATHERINE.   Ah ! c'est une histoire de sang.

10 LORENZO.   Pas du tout ; c'est un conte de fées. Brutus était un fou[2], un monomane[3], et rien de plus. Tarquin était un duc plein de sagesse, qui allait voir en pantoufles si les petites filles dormaient bien.

CATHERINE.   Dites-vous aussi du mal de Lucrèce ?

---

1. *Tarquin le fils :* fils du dernier roi de Rome, Tarquin le Superbe (v. 534 - v. 509 av. J. - C.). Connu pour sa violence et sa cruauté, il viola la femme d'un de ses parents, Lucrèce, qui se donna ensuite la mort. Ce drame aurait été à l'origine de la révolution qui, à l'instigation du mari de Lucrèce et de son cousin Brutus, renversa la royauté à Rome, pour fonder la république.
2. Brutus, craignant les violences de Tarquin le fils envers sa propre famille, avait contrefait la folie pour lui échapper, jusqu'à la mort de Lucrèce.
3. *Monomane :* personne obsédée par une unique idée aliénant toutes ses autres facultés mentales.

91

15 LORENZO.   Elle s'est donné le plaisir du péché et la gloire du trépas. Elle s'est laissé prendre toute vive comme une alouette au piège, et puis elle s'est fourré bien gentiment son petit couteau dans le ventre.

MARIE.   Si vous méprisez les femmes, pourquoi affectez-vous
20 de les rabaisser devant votre mère et votre sœur ?

LORENZO.   Je vous estime, vous et elle. Hors de là, le monde me fait horreur.

MARIE.   Sais-tu le rêve que j'ai eu cette nuit, mon enfant ?

LORENZO.   Quel rêve ?

25 MARIE.   Ce n'était point un rêve, car je ne dormais pas. J'étais seule dans cette grande salle ; ma lampe était loin de moi, sur cette table auprès de la fenêtre. Je songeais aux jours où j'étais heureuse, aux jours de ton enfance, mon Lorenzino. Je regardais cette nuit obscure, et je me disais : il ne rentrera
30 qu'au jour, lui qui passait autrefois les nuits à travailler. Mes yeux se remplissaient de larmes, et je secouais la tête en les sentant couler. J'ai entendu tout d'un coup marcher lentement dans la galerie ; je me suis retournée ; un homme vêtu de noir venait à moi, un livre sous le bras — c'était toi, Renzo :
35 « Comme tu reviens de bonne heure ! » me suis-je écriée. Mais le spectre s'est assis auprès de la lampe sans me répondre ; il a ouvert son livre, et j'ai reconnu mon Lorenzino d'autrefois.

LORENZO.   Vous l'avez vu ?

40 MARIE.   Comme je te vois.

LORENZO.   Quand s'en est-il allé ?

MARIE.   Quand tu as tiré la cloche ce matin en rentrant.

LORENZO.   Mon spectre, à moi ! Et il s'en est allé quand je suis rentré ?

45 MARIE.   Il s'est levé d'un air mélancolique, et s'est effacé comme une vapeur du matin.

LORENZO.   Catherine, Catherine, lis-moi l'histoire de Brutus.

CATHERINE.   Qu'avez-vous ? vous tremblez de la tête aux pieds.

50 LORENZO.   Ma mère, asseyez-vous ce soir à la place où vous étiez cette nuit, et si mon spectre revient, dites-lui qu'il verra bientôt quelque chose qui l'étonnera.

On frappe.

CATHERINE.   C'est mon oncle Bindo et Baptista Venturi.

Entrent Bindo et Venturi.

BINDO, *bas à Marie.*   Je viens tenter un dernier effort.

55 MARIE.   Nous vous laissons ; puissiez-vous réussir !

Elle sort avec Catherine.

BINDO.   Lorenzo, pourquoi ne démens-tu pas l'histoire scandaleuse qui court sur ton compte ?

LORENZO.   Quelle histoire ?

BINDO.   On dit que tu t'es évanoui à la vue d'une épée.

60 LORENZO.   Le croyez-vous, mon oncle ?

BINDO.   Je t'ai vu faire des armes à Rome ; mais cela ne m'étonnerait pas que tu devinsses plus vil qu'un chien, au métier que tu fais ici.

LORENZO.   L'histoire est vraie, je me suis évanoui. Bonjour,
65 Venturi. À quel taux sont vos marchandises ? comment va le commerce ?

VENTURI.   Seigneur, je suis à la tête d'une fabrique de soie ; mais c'est me faire injure que de m'appeler marchand.

LORENZO.   C'est vrai. Je voulais dire seulement que vous
70 aviez contracté au collège l'habitude innocente de vendre de la soie[1].

BINDO.   J'ai confié au seigneur Venturi les projets qui occupent en ce moment tant de familles à Florence. C'est un digne

---

1. Souvenir du *Bourgeois gentilhomme* de Molière (IV. 5).

ami de la liberté, et j'entends, Lorenzo, que vous le traitiez
75 comme tel. Le temps de plaisanter est passé. Vous nous avez
dit quelquefois que cette confiance extrême que le duc vous
témoigne n'était qu'un piège de votre part. Cela est-il vrai ou
faux ? Êtes-vous des nôtres, ou n'en êtes-vous pas ? voilà ce
qu'il nous faut savoir. Toutes les grandes familles voient bien
80 que le despotisme des Médicis n'est ni juste ni tolérable. De
quel droit laisserions-nous s'élever paisiblement cette maison
orgueilleuse sur les ruines de nos privilèges ? La Capitulation
n'est point observée[1]. La puissance de l'Allemagne se fait
sentir de jour en jour d'une manière plus absolue. Il est temps
85 d'en finir et de rassembler les patriotes. Répondrez-vous à cet
appel ?

LORENZO.　Qu'en dites-vous, seigneur Venturi ? Parlez,
parlez ! Voilà mon oncle qui reprend haleine. Saisissez cette
occasion, si vous aimez votre pays.

90 VENTURI.　Seigneur, je pense de même, et je n'ai pas un
mot à ajouter.

LORENZO.　Pas un mot ? pas un beau petit mot bien sonore ?
Vous ne connaissez pas la véritable éloquence. On tourne une
grande période[2] autour d'un beau petit mot, pas trop court
95 ni trop long, et rond comme une toupie. On rejette son bras
gauche en arrière de manière à faire faire à son manteau des
plis pleins d'une dignité tempérée par la grâce ; on lâche sa
période qui se déroule comme une corde ronflante, et la
petite toupie s'échappe avec un murmure délicieux. On pourrait
100 presque la ramasser dans le creux de la main, comme les
enfants des rues.

BINDO.　Tu es un insolent ! Réponds, ou sors d'ici.

---

1. Voir p. 15.
2. *Période* : phrase complexe agencée avec harmonie.

LORENZO.   Je suis des vôtres, mon oncle. Ne voyez-vous pas
à ma coiffure que je suis républicain dans l'âme ? Regardez
105 comme ma barbe est coupée. N'en doutez pas un seul instant ;
l'amour de la patrie respire dans mes vêtements les plus
cachés[1].

On sonne à la porte d'entrée. La cour se remplit de pages et de
chevaux.

UN PAGE, *en entrant.*   Le duc !
Entre Alexandre.

LORENZO.   Quel excès de faveur, mon prince ! Vous daignez
110 visiter un pauvre serviteur en personne ?

LE DUC.   Quels sont ces hommes-là ? J'ai à te parler.

LORENZO.   J'ai l'honneur de présenter à Votre Altesse mon
oncle Bindo Altoviti, qui regrette qu'un long séjour à Naples
ne lui ait pas permis de se jeter plus tôt à vos pieds. Cet
115 autre seigneur est l'illustre Baptista Venturi, qui fabrique, il
est vrai, de la soie, mais qui n'en vend point. Que la présence
inattendue d'un si grand prince dans cette humble maison ne
vous trouble pas, mon cher oncle, ni vous non plus, digne
Venturi. Ce que vous demandez vous sera accordé, ou vous
120 serez en droit de dire que mes supplications n'ont aucun
crédit auprès de mon gracieux souverain.

LE DUC.   Que demandez-vous, Bindo ?

BINDO.   Altesse, je suis désolé que mon neveu...

LORENZO.   Le titre d'ambassadeur à Rome n'appartient à
125 personne en ce moment. Mon oncle se flattait de l'obtenir
de vos bontés. Il n'est pas dans Florence un seul homme qui
puisse soutenir la comparaison avec lui, dès qu'il s'agit du
dévouement et du respect qu'on doit aux Médicis.

---

1. Allusion aux républicains de 1830 dont le costume et la coiffure
étaient des signes de ralliement.

LE DUC.   En vérité, Renzino ? Eh bien ! mon cher Bindo,
130   voilà qui est dit. Viens demain au palais.

BINDO.   Altesse, je suis confondu. Comment reconnaître...

LORENZO.   Le seigneur Venturi, bien qu'il ne vende point
de soie, demande un privilège pour ses fabriques.

LE DUC.   Quel privilège ?

135   LORENZO.   Vos armoiries sur la porte, avec le brevet. Accordez-
le-lui, monseigneur, si vous aimez ceux qui vous aiment.

LE DUC.   Voilà qui est bon. Est-ce fini ? Allez, messieurs, la
paix soit avec vous.

VENTURI.   Altesse !... vous me comblez de joie... je ne puis
140   exprimer...

LE DUC, *à ses gardes.*   Qu'on laisse passer ces deux personnes.

BINDO, *sortant, bas à Venturi.*   C'est un tour infâme.

VENTURI, *de même.*   Qu'est-ce que vous ferez ?

BINDO, *de même.*   Que diable veux-tu que je fasse ? Je suis
145   nommé.

VENTURI, *de même.*   Cela est terrible.
Ils sortent.

LE DUC.   La Cibo est à moi.

LORENZO.   J'en suis fâché.

LE DUC.   Pourquoi ?

150   LORENZO.   Parce que cela fera tort aux autres.

LE DUC.   Ma foi, non, elle m'ennuie déjà. Dis-moi donc,
mignon[1], quelle est donc cette belle femme qui arrange ces
fleurs sur cette fenêtre ? Voilà longtemps que je la vois sans
cesse en passant.

---

1. *Mignon :* le terme évoque les mignons d'Henri III, jeunes favoris
du roi, très efféminés.

155 LORENZO.   Où donc ?

LE DUC.   Là-bas, en face, dans le palais.

LORENZO.   Oh ! ce n'est rien.

LE DUC.   Rien ? Appelles-tu rien ces bras-là ? Quelle Vénus[1],
entrailles du diable !

160 LORENZO.   C'est une voisine.

LE DUC.   Je veux parler à cette voisine-là. Eh ! parbleu, si je
ne me trompe, c'est Catherine Ginori.

LORENZO.   Non.

LE DUC.   Je la reconnais très bien ; c'est ta tante. Peste !
165 j'avais oublié cette figure-là. Amène-la donc souper.

LORENZO.   Cela serait très difficile. C'est une vertu.

LE DUC.   Allons donc ! Est-ce qu'il y en a pour nous autres ?

LORENZO.   Je le lui demanderai, si vous voulez. Mais je vous
avertis que c'est une pédante ; elle parle latin.

170 LE DUC.   Bon ! elle ne fait pas l'amour en latin. Viens donc
par ici ; nous la verrons mieux de cette galerie.

LORENZO.   Une autre fois, mignon — à l'heure qu'il est je
n'ai pas de temps à perdre — il faut que j'aille chez le Strozzi.

LE DUC.   Quoi ! chez ce vieux fou ?

175 LORENZO.   Oui, chez ce vieux misérable, chez cet infâme. Il
paraît qu'il ne peut se guérir de cette singulière lubie d'ouvrir
sa bourse à toutes ces viles créatures qu'on nomme bannis,
et que ces meurt-de-faim se réunissent chez lui tous les jours,
avant de mettre leurs souliers et de prendre leurs bâtons.
180 Maintenant, mon projet est d'aller au plus vite manger le
dîner de ce vieux gibier de potence, et de lui renouveler
l'assurance de ma cordiale amitié. J'aurai ce soir quelque

---

1. *Vénus :* déesse romaine de la Beauté et de l'Amour.

bonne histoire à vous conter, quelque charmante fredaine qui
pourra faire lever de bonne heure demain matin quelques-
185 unes de toutes ces canailles.

LE DUC. Que je suis heureux de t'avoir, mignon ! J'avoue
que je ne comprends pas comment ils te reçoivent.

LORENZO. Bon ! Si vous saviez comme cela est aisé de
mentir impudemment au nez d'un butor[1] ! Cela prouve bien
190 que vous n'avez jamais essayé. À propos, ne m'avez-vous pas
dit que vous vouliez donner votre portrait, je ne sais plus à
qui ? J'ai un peintre à vous amener ; c'est un protégé.

LE DUC. Bon, bon, mais pense à la tante. C'est pour elle
que je suis venu te voir ; le diable m'emporte, tu as une
195 tante qui me revient.

LORENZO. Et la Cibo ?

LE DUC. Je te dis de parler de moi à ta tante.
Ils sortent.

---

1. *Butor :* homme grossier et brutal.

Acte II Scènes 3 et 4

ÉGLISE ET POLITIQUE

1. Analysez le monologue du cardinal, l. 1 à 32 (sc. 3) : à quoi sert-il ? Quel type d'action politique est ici présenté ?

2. En quoi la scène 3 pouvait-elle être provocante dans un pays ayant connu récemment « l'alliance du trône et de l'autel » ? Quelle image de l'homme d'Église est donnée ici ? Cet anticléricalisme est-il d'actualité en 1830 ? Pourquoi ?

UNE CONFESSION PERVERTIE

3. La direction de conscience est transformée en système de dépravation (sc. 3). Étudiez en particulier comment le cardinal cherche à obliger la marquise à s'avouer son désir, et comment il joue à la fois du cynisme et de la casuistique (voir p. 253).

4. Analysez comment les différentes dénominations marquent des variations dans les rapports des deux personnages de la scène 3. Quel est le vainqueur ? Pourquoi ?

LA FACE CACHÉE DE LORENZO

5. La scène 4 est composée en trois volets : déterminez-les et analysez leur apport respectif au projet de Lorenzo.

6. Rappel du passé et dédoublement approfondissent l'ambiguïté de Lorenzo, mais font aussi progresser l'action : mettez-le en évidence en vous appuyant sur le texte.

UNE SCÈNE DE COMÉDIE

7. Étudiez le personnage de Venturi comme type du bourgeois de comédie et figure de la société du XIXe siècle.

8. En quoi la deuxième partie de la scène 4 est-elle proprement dramatique (le drame étant entendu comme fusion du tragique et du bouffon) ?

SCÈNE 5.

Une salle du palais des Strozzi.

PHILIPPE STROZZI, LE PRIEUR, LOUISE, *occupée à travailler ;* LORENZO, *couché sur un sofa.*

PHILIPPE.   Dieu veuille qu'il n'en soit rien ! Que de haines inextinguibles, implacables, n'ont pas commencé autrement ! Un propos ! la fumée d'un repas jasant sur les lèvres épaisses d'un débauché ! voilà les guerres de familles, voilà comme les
5 couteaux se tirent. On est insulté, et on tue ; on a tué, et on est tué. Bientôt les haines s'enracinent ; on berce les fils dans les cercueils de leurs aïeux, et des générations entières sortent de terre l'épée à la main.

LE PRIEUR.   J'ai peut-être eu tort de me souvenir de ce
10 méchant propos et de ce maudit voyage à Montolivet ; mais le moyen d'endurer ces Salviati ?

PHILIPPE.   Ah ! Léon, Léon, je te le demande ; qu'y aurait-il de changé pour Louise et pour nous-mêmes, si tu n'avais rien dit à mes enfants ? La vertu d'une Strozzi ne peut-elle oublier
15 un mot d'un Salviati ? L'habitant d'un palais de marbre doit-il savoir les obscénités que la populace écrit sur ses murs ? Qu'importe le propos d'un Julien ? Ma fille en trouvera-t-elle moins un honnête mari ? Ses enfants la respecteront-ils moins ? M'en souviendrai-je, moi, son père, en lui donnant
20 le baiser du soir ? Où en sommes-nous, si l'insolence du premier venu tire du fourreau des épées comme les nôtres ? Maintenant tout est perdu ; voilà Pierre furieux de tout ce que tu nous as conté. Il s'est mis en campagne ; il est allé chez les Pazzi. Dieu sait ce qui peut arriver ! Qu'il rencontre
25 Salviati, voilà le sang répandu, le mien, mon sang sur le pavé de Florence ! Ah ! pourquoi suis-je père ?

LE PRIEUR. Si l'on m'eût rapporté un propos sur ma sœur, quel qu'il fût, j'aurais tourné le dos, et tout aurait été fini là. Mais celui-là m'était adressé ; il était si grossier, que je me
30 suis figuré que le rustre ne savait de qui il parlait — mais il le savait bien.

PHILIPPE. Oui, ils le savent, les infâmes ! ils savent bien où ils frappent ! Le vieux tronc d'arbre est d'un bois trop solide ; ils ne viendraient pas l'entamer. Mais ils connaissent la fibre
35 délicate qui tressaille dans ses entrailles, lorsqu'on attaque son plus faible bourgeon. Ma Louise ! ah ! qu'est-ce donc que la raison ? Les mains me tremblent à cette idée. Juste Dieu ! la raison, est-ce donc la vieillesse ?

LE PRIEUR. Pierre est trop violent.

40 PHILIPPE. Pauvre Pierre ! comme le rouge lui est monté au front ! comme il a frémi en t'écoutant raconter l'insulte faite à sa sœur ! C'est moi qui suis un fou, car je t'ai laissé dire. Pierre se promenait par la chambre à grands pas, inquiet, furieux, la tête perdue ; il allait et venait, comme moi
45 maintenant. Je le regardais en silence ; c'est un si beau spectacle qu'un sang pur montant à un front sans reproche. Ô ma patrie ! pensais-je, en voilà un, et c'est mon aîné. Ah ! Léon, j'ai beau faire, je suis un Strozzi.

LE PRIEUR. Il n'y a peut-être pas tant de danger que vous
50 le pensez. — C'est un grand hasard s'il rencontre Salviati ce soir. — Demain, nous verrons tous les choses plus sagement.

PHILIPPE. N'en doute pas ; Pierre le tuera, ou il se fera tuer. *(Il ouvre la fenêtre.)* Où sont-ils maintenant ? Voilà la nuit ; la ville se couvre de profondes ténèbres. Ces rues sombres me
55 font horreur — le sang coule quelque part, j'en suis sûr.

LE PRIEUR. Calmez-vous.

PHILIPPE. À la manière dont mon Pierre est sorti, je suis sûr qu'on ne le reverra que vengé ou mort. Je l'ai vu décrocher son épée en fronçant le sourcil ; il se mordait les lèvres, et les
60 muscles de ses bras étaient tendus comme des arcs. Oui, oui,

maintenant il meurt ou il est vengé ; cela n'est pas douteux.

LE PRIEUR.   Remettez-vous, fermez cette fenêtre.

PHILIPPE.   Eh bien, Florence, apprends-la donc à tes pavés,
la couleur de mon noble sang ! il y a quarante de tes fils qui
65 l'ont dans les veines. Et moi, le chef de cette famille immense,
plus d'une fois encore ma tête blanche se penchera du haut
de ces fenêtres, dans les angoisses paternelles ! plus d'une
fois, ce sang, que tu bois peut-être à cette heure avec
indifférence, séchera au soleil de tes places. Mais ne ris pas
70 ce soir du vieux Strozzi, qui a peur pour son enfant. Sois
avare de sa famille, car il viendra un jour où tu la compteras,
où tu te mettras avec lui à la fenêtre, et où le cœur te battra
aussi lorsque tu entendras le bruit de nos épées.

LOUISE.   Mon père ! mon père ! vous me faites peur.

75 LE PRIEUR, *bas à Louise.*   N'est-ce pas Thomas qui rôde sous
ces lanternes ? Il m'a semblé le reconnaître à sa petite taille ;
le voilà parti.

PHILIPPE.   Pauvre ville, où les pères attendent ainsi le retour
de leurs enfants ! Pauvre patrie ! pauvre patrie ! Il y en a
80 bien d'autres à cette heure qui ont pris leurs manteaux et
leurs épées pour s'enfoncer dans cette nuit obscure — et ceux
qui les attendent ne sont point inquiets — ils savent qu'ils
mourront demain de misère, s'ils ne meurent de froid cette
nuit. Et nous, dans ces palais somptueux, nous attendons
85 qu'on nous insulte pour tirer nos épées ! Le propos d'un
ivrogne nous transporte de colère, et disperse dans ces sombres
rues nos fils et nos amis ! Mais les malheurs publics ne
secouent pas la poussière de nos armes. On croit Philippe
Strozzi un honnête homme, parce qu'il fait le bien sans
90 empêcher le mal ! Et maintenant, moi, père, que ne donnerais-
je pas pour qu'il y eût au monde un être capable de me
rendre mon fils et de punir juridiquement l'insulte faite à ma
fille ! Mais pourquoi empêcherait-on le mal qui m'arrive,
quand je n'ai pas empêché celui qui arrive aux autres, moi

95   qui en avais le pouvoir ? Je me suis courbé sur des livres, et
j'ai rêvé pour ma patrie ce que j'admirais dans l'Antiquité.
Les murs criaient vengeance autour de moi, et je me bouchais
les oreilles pour m'enfoncer dans mes méditations — il a fallu
que la tyrannie vînt me frapper au visage pour me faire dire :
100 Agissons ! — et ma vengeance a des cheveux gris.
Entrent Pierre avec Thomas et François Pazzi.

PIERRE.   C'est fait ; Salviati est mort.
Il embrasse sa sœur.

LOUISE.   Quelle horreur ! tu es couvert de sang.

PIERRE.   Nous l'avons attendu au coin de la rue des Archers ;
François a arrêté son cheval ; Thomas l'a frappé à la jambe,
105 et moi...

LOUISE.   Tais-toi ! tais-toi ! tu me fais frémir. Tes yeux sortent
de leurs orbites — tes mains sont hideuses — tout ton corps
tremble, et tu es pâle comme la mort.

LORENZO, *se levant.*   Tu es beau, Pierre, tu es grand comme
110 la vengeance.

PIERRE.   Qui dit cela ? Te voilà ici, toi, Lorenzaccio ! *(Il
s'approche de son père.)* Quand donc fermerez-vous votre porte
à ce misérable ? ne savez-vous donc pas ce que c'est, sans
compter l'histoire de son duel avec Maurice ?

115 PHILIPPE.   C'est bon, je sais tout cela. Si Lorenzo est ici,
c'est que j'ai de bonnes raisons pour l'y recevoir. Nous en
parlerons en temps et lieu.

PIERRE, *entre ses dents.*   Hum ! des raisons pour recevoir cette
canaille ! Je pourrais bien en trouver, un de ces matins, une
120 très bonne aussi pour le faire sauter par les fenêtres. Dites ce
que vous voudrez, j'étouffe dans cette chambre de voir une
pareille lèpre se traîner sur nos fauteuils.

PHILIPPE.   Allons, paix ! tu es un écervelé. Dieu veuille que
ton coup de ce soir n'ait pas de mauvaises suites pour nous !
125 Il faut commencer par te cacher.

PIERRE.   Me cacher ! Et au nom de tous les saints, pourquoi me cacherais-je ?

LORENZO, *à Thomas.*   En sorte que vous l'avez frappé à l'épaule ? — Dites-moi donc un peu...
Il l'entraîne dans l'embrasure d'une fenêtre ; tous deux s'entretiennent à voix basse.

130   PIERRE.   Non, mon père, je ne me cacherai pas. L'insulte a été publique, il nous l'a faite au milieu d'une place. Moi je l'ai assommé au milieu d'une rue, et il me convient demain matin de le raconter à toute la ville. Depuis quand se cache-t-on pour avoir vengé son honneur ? Je me promènerais
135   volontiers l'épée nue, et sans en essuyer une goutte de sang.

PHILIPPE.   Viens par ici, il faut que je te parle. Tu n'es pas blessé, mon enfant ? tu n'as rien reçu dans tout cela ?
Ils sortent.

SCÈNE 6.

Au palais du duc.

LE DUC, *à demi nu,* TEBALDEO, *faisant son portrait,* GIOMO *joue de la guitare.*

GIOMO, *chantant.*
>   Quand je mourrai, mon échanson[1],
>   Porte mon cœur à ma maîtresse.
>   Qu'elle envoie au diable la messe,
>   La prêtraille et les oraisons.

---

1. *Échanson* : serviteur chargé de servir à boire.

5   Les pleurs ne sont que de l'eau claire.
       Dis-lui qu'elle éventre un tonneau ;
       Qu'on entonne un chœur sur ma bière,
       J'y répondrai du fond de mon tombeau.

LE DUC. Je savais bien que j'avais quelque chose à te
10 demander. Dis-moi, Hongrois, que t'avait donc fait ce garçon
que je t'ai vu bâtonner tantôt d'une si joyeuse manière ?

GIOMO. Ma foi, je ne saurais le dire, ni lui non plus.

LE DUC. Pourquoi ? Est-ce qu'il est mort ?

GIOMO. C'est un gamin d'une maison voisine ; tout à
15 l'heure, en passant, il m'a semblé qu'on l'enterrait.

LE DUC. Quand mon Giomo frappe, il frappe ferme.

GIOMO. Cela vous plaît à dire ; je vous ai vu tuer un
homme d'un coup plus d'une fois.

LE DUC. Tu crois ! J'étais donc gris ? Quand je suis en
20 pointe de gaieté, tous mes moindres coups sont mortels. *(À
Tebaldeo.)* Qu'as-tu donc, petit ? est-ce que la main te tremble ?
tu louches terriblement.

TEBALDEO. Rien, monseigneur, plaise à Votre Altesse.
Entre Lorenzo.

LORENZO. Cela avance-t-il ? Êtes-vous content de mon
25 protégé ? *(Il prend la cotte de mailles du duc sur le sofa.)* Vous
avez là une jolie cotte de mailles, mignon ! Mais cela doit
être bien chaud.

LE DUC. En vérité, si elle me gênait, je n'en porterais pas.
Mais c'est du fil d'acier ; la lime la plus aiguë n'en pourrait
30 ronger une maille, et en même temps c'est léger comme de
la soie. Il n'y a peut-être pas la pareille dans toute l'Europe ;
aussi je ne la quitte guère, jamais, pour mieux dire.

LORENZO. C'est très léger, mais très solide. Croyez-vous cela
à l'épreuve du stylet ?

35 LE DUC. Assurément.

105

Alexandre (Jean-Luc Boutté) et Lorenzo (Claude Rich).
Mise en scène de Franco Zeffirelli.
Comédie-Française, 1976.

LORENZO. Au fait, j'y réfléchis à présent, vous la portez toujours sous votre pourpoint. L'autre jour, à la chasse, j'étais en croupe derrière vous, et en vous tenant à bras-le-corps, je la sentais très bien. C'est une prudente habitude.

40 LE DUC. Ce n'est pas que je me défie de personne ; comme tu dis, c'est une habitude — pure habitude de soldat.

LORENZO. Votre habit est magnifique. Quel parfum que ces gants ! Pourquoi donc posez-vous à moitié nu ? Cette cotte de mailles aurait fait son effet dans votre portrait ; vous avez
45 eu tort de la quitter.

LE DUC. C'est le peintre qui l'a voulu. Cela vaut toujours mieux, d'ailleurs, de poser le cou découvert ; regarde les antiques.

LORENZO. Où diable est ma guitare ? Il faut que je fasse
50 un second dessus[1] à Giomo.

Il sort.

TEBALDEO. Altesse, je n'en ferai pas davantage aujourd'hui.

GIOMO, *à la fenêtre.* Que fait donc Lorenzo ? Le voilà en
contemplation devant le puits qui est au milieu du jardin ;
ce n'est pas là, il me semble, qu'il devrait chercher sa guitare.

55 LE DUC. Donne-moi mes habits. Où est donc ma cotte de
mailles ?

GIOMO. Je ne la trouve pas, j'ai beau chercher, elle s'est
envolée.

LE DUC. Renzino la tenait il n'y a pas cinq minutes ; il
60 l'aura jetée dans un coin en s'en allant, selon sa louable
coutume de paresseux.

GIOMO. Cela est incroyable ; pas plus de cotte de mailles
que sur ma main.

LE DUC. Allons, tu rêves ! cela est impossible.

65 GIOMO. Voyez vous-même, Altesse ; la chambre n'est pas
si grande.

LE DUC. Renzo la tenait là, sur ce sofa. *(Rentre Lorenzo.)*
Qu'as-tu donc fait de ma cotte ? nous ne pouvons plus la
trouver.

70 LORENZO. Je l'ai remise où elle était. Attendez — non, je
l'ai posée sur ce fauteuil — non, c'était sur le lit — je n'en
sais rien, mais j'ai trouvé ma guitare. *(Il chante en s'accompagnant.)*
Bonjour, madame l'abbesse...

---

1. *Second dessus :* registre le plus haut, opposé à la basse, en
musique.

GIOMO. Dans le puits du jardin, apparemment ? car vous
75 étiez penché dessus tout à l'heure d'un air tout à fait absorbé.

LORENZO. Cracher dans un puits pour faire des ronds est
mon plus grand bonheur. Après boire et dormir, je n'ai pas
d'autre occupation. *(Il continue à jouer.)*

Bonjour, bonjour, abbesse de mon cœur...

80 LE DUC. Cela est inouï que cette cotte se trouve perdue !
Je crois que je ne l'ai pas ôtée deux fois dans ma vie, si ce
n'est pour me coucher.

LORENZO. Laissez donc, laissez donc. N'allez-vous pas faire
un valet de chambre d'un fils de pape[1] ? Vos gens la trouveront.

85 LE DUC. Que le diable t'emporte ! c'est toi qui l'as égarée.

LORENZO. Si j'étais duc de Florence, je m'inquiéterais d'autre
chose que de mes cottes. À propos, j'ai parlé de vous à ma
chère tante. Tout est au mieux ; venez donc un peu ici que
je vous parle à l'oreille.

90 GIOMO, *bas au duc*. Cela est singulier, au moins ; la cotte
de mailles est enlevée.

LE DUC. On la retrouvera.
Il s'asseoit à côté de Lorenzo.

GIOMO, *à part*. Quitter la compagnie pour aller cracher
dans le puits, cela n'est pas naturel. Je voudrais retrouver
95 cette cotte de mailles, pour m'ôter de la tête une vieille idée
qui se rouille de temps en temps. Bah ! un Lorenzaccio ! La
cotte est sous quelque fauteuil.

---

1. *Fils de pape* : Alexandre passait pour le fils naturel tantôt de
Laurent II de Médicis, tantôt du pape Clément VII (Jules de Médicis)
lui-même. Laurent II était le neveu de Clément VII. (Voir p. 12-13.)

SCÈNE 7.

Devant le palais.

Entre SALVIATI, *couvert de sang et boitant ; deux hommes le soutiennent.*

SALVIATI, *criant.*   Alexandre de Médicis ! ouvre ta fenêtre, et regarde un peu comme on traite tes serviteurs !

ALEXANDRE, *à la fenêtre.*   Qui est là dans la boue ? Qui se traîne aux murailles de mon palais avec ces cris épouvantables ?

5 SALVIATI.   Les Strozzi m'ont assassiné ; je vais mourir à ta porte.

LE DUC.   Lesquels des Strozzi, et pourquoi ?

SALVIATI.   Parce que j'ai dit que leur sœur était amoureuse de toi, mon noble duc. Les Strozzi ont trouvé leur sœur
10 insultée, parce que j'ai dit que tu lui plaisais ; trois d'entre eux m'ont assassiné. J'ai reconnu Pierre et Thomas ; je ne connais pas le troisième.

ALEXANDRE.   Fais-toi monter ici. Par Hercule[1] ! les meurtriers passeront la nuit en prison, et on les pendra demain matin. *Salviati entre dans le palais.*

---

1. *Hercule :* héros romain identifié à l'Héraclès grec, fils de Zeus.

Sur l'ensemble de l'acte II

UNE ACTION QUI SE NOUE

1. Faites le bilan des « annonces » du meurtre : analysez leur formulation, le contexte dans lequel elles sont exprimées, etc.

2. Étudiez comment les trois intrigues évoluent : en quoi cet acte représente-t-il pour chacune une cristallisation, mais aussi une mise en attente ?

IRONIE ET MÉLODRAME

3. Montrez que le style est constamment en porte à faux et réalise une alliance nouvelle du prosaïsme (style bas) et du sublime (style noble).

4. L'ironie de Lorenzo (à analyser) ne fait-elle pas écho à une certaine ironie de l'auteur envers sa propre création ? Justifiez votre réponse.

5. Pourtant, par le choix des termes et des situations, les trois dernières scènes se déroulent dans une atmosphère mélodramatique : analysez les effets de contraste.

LORENZINO - LORENZACCIO

6. À Lorenzo sont consacrées quatre des sept scènes de l'acte II : le spectateur découvre peu à peu que le libertin inquiétant de l'acte I est une personnalité complexe.
Montrez qu'elle se définit par le regard des autres. Quels sont les éléments de rupture et de continuité dans cette personnalité ?

Acte III

SCÈNE PREMIÈRE.

La chambre à coucher de Lorenzo.

LORENZO, SCORONCONCOLO, *faisant des armes.*

SCORONCONCOLO. Maître, as-tu assez du jeu ?

LORENZO. Non, crie plus fort. Tiens, pare celle-ci ! tiens, meurs ! tiens, misérable !

SCORONCONCOLO. À l'assassin ! on me tue ! on me coupe
5 la gorge !

LORENZO. Meurs ! meurs ! meurs ! Frappe donc du pied.

SCORONCONCOLO. À moi, mes archers ! au secours ! on me tue ! Lorenzo de l'enfer !

LORENZO. Meurs, infâme ! Je te saignerai, pourceau, je te
10 saignerai ! Au cœur, au cœur ! il est éventré. — Crie donc, frappe donc, tue donc ! Ouvre-lui les entrailles ! Coupons-le par morceaux, et mangeons, mangeons ! J'en ai jusqu'au coude. Fouille dans la gorge, roule-le, roule ! Mordons, mordons, et mangeons !
Il tombe épuisé.

15 SCORONCONCOLO, *s'essuyant le front.* Tu as inventé un rude jeu, maître, et tu y vas en vrai tigre ; mille millions de tonnerres ! tu rugis comme une caverne pleine de panthères et de lions.

LORENZO. Ô jour de sang, jour de mes noces ! Ô soleil !
20 soleil ! il y a assez longtemps que tu es sec comme le plomb ; tu te meurs de soif, soleil ! son sang t'enivrera. Ô ma

vengeance ! qu'il y a longtemps que tes ongles poussent ! Ô dents d'Ugolin[1] ! il vous faut le crâne, le crâne !

SCORONCONCOLO. Es-tu en délire ? As-tu la fièvre ?

25 LORENZO. Lâche, lâche — ruffian — le petit maigre, les pères, les filles — des adieux, des adieux sans fin — les rives de l'Arno pleines d'adieux ! — Les gamins l'écrivent sur les murs. — Ris, vieillard, ris dans ton bonnet blanc — tu ne vois pas que mes ongles poussent ? — Ah ! le crâne, le 30 crâne !

Il s'évanouit.

SCORONCONCOLO. Maître, tu as un ennemi. *(Il lui jette de l'eau à la figure.)* Allons, maître, ce n'est pas la peine de tant te démener. On a des sentiments élevés ou on n'en a pas ; je n'oublierai jamais que tu m'as fait avoir une certaine grâce 35 sans laquelle je serais loin[2]. Maître, si tu as un ennemi, dis-le, et je t'en débarrasserai sans qu'il y paraisse autrement.

LORENZO. Ce n'est rien ; je te dis que mon seul plaisir est de faire peur à mes voisins.

SCORONCONCOLO. Depuis que nous trépignons dans cette 40 chambre, et que nous y mettons tout à l'envers, ils doivent être bien accoutumés à notre tapage. Je crois que tu pourrais égorger trente hommes dans ce corridor, et les rouler sur ton plancher, sans qu'on s'aperçoive dans la maison qu'il s'y passe du nouveau. Si tu veux faire peur aux voisins, tu t'y prends

---

1. *Ugolin* : tyran de Pise (XIIIᵉ siècle), qui fut renversé et enfermé avec ses fils et ses neveux dans une tour où on les condamna à mourir de faim. Il serait mort le dernier, après avoir tenté de manger ses enfants. Dante le représente (*l'Enfer*, XXXIIIᵉ chant) en train de dévorer le crâne de l'un d'eux.
2. *Je serais loin* : selon Varchi, Scoronconcolo avait été condamné à mort.

45 mal. Ils ont eu peur la première fois, c'est vrai, mais maintenant ils se contentent d'enrager, et ne s'en mettent pas en peine jusqu'au point de quitter leurs fauteuils ou d'ouvrir leurs fenêtres.

LORENZO.   Tu crois ?

50 SCORONCONCOLO.   Tu as un ennemi, maître. Ne t'ai-je pas vu frapper du pied la terre, et maudire le jour de ta naissance ? N'ai-je pas des oreilles ? et, au milieu de tes fureurs, n'ai-je pas entendu résonner distinctement un petit mot bien net : la vengeance ? Tiens, maître, crois-moi, tu maigris — tu n'as
55 plus le mot pour rire comme devant[1] — crois-moi, il n'y a rien de si mauvaise digestion qu'une bonne haine. Est-ce que sur deux hommes au soleil il n'y en a pas toujours un dont l'ombre gêne l'autre ? Ton médecin est dans ma gaine ; laisse-moi te guérir.
Il tire son épée.

60 LORENZO.   Ce médecin-là t'a-t-il jamais guéri, toi ?

SCORONCONCOLO.   Quatre ou cinq fois. Il y avait un jour à Padoue une petite demoiselle qui me disait...

LORENZO.   Montre-moi cette épée. Ah ! garçon, c'est une brave lame.

65 SCORONCONCOLO.   Essaye-la, et tu verras.

LORENZO.   Tu as deviné mon mal — j'ai un ennemi. Mais pour lui je ne me servirai pas d'une épée qui ait servi pour d'autres. Celle qui le tuera n'aura ici-bas qu'un baptême ; elle gardera son nom.

70 SCORONCONCOLO.   Quel est le nom de l'homme ?

LORENZO.   Qu'importe ? m'es-tu dévoué ?

---

1. *Devant* : avant.

SCORONCONCOLO.   Pour toi, je remettrais le Christ en croix.

LORENZO.   Je te le dis en confidence, — je ferai le coup dans cette chambre ; et c'est précisément pour que mes chers
75 voisins ne s'en étonnent pas, que je les accoutume à ce bruit de tous les jours. Écoute bien, et ne te trompe pas. Si je l'abats du premier coup, ne t'avise pas de le toucher. Mais je ne suis pas plus gros qu'une puce, et c'est un sanglier. S'il se défend, je compte sur toi pour lui tenir les mains ; rien
80 de plus, entends-tu ? c'est à moi qu'il appartient. Je t'avertirai en temps et lieu.

SCORONCONCOLO.   Amen.

Acte III Scène 1

UNE RÉPÉTITION SURRÉALISTE

1. Étudiez l'incohérence et la violence des images : que visent-elles à suggérer ? Par quels procédés de style ? Les valeurs symboliques de l'épée sont ici particulièrement fortes : analysez-les et relevez-en les diverses occurrences au cours de la pièce.

2. Notez l'effet de rupture, en début d'acte, entre la nouvelle image de Lorenzo et celle qui avait été construite jusqu'ici (relisez la scène 4 de l'acte I). Relevez cependant les habiles annonces ménagées par Musset sur la relation de Lorenzo avec l'épée (acte II, sc. 4 et 5).

3. Montrez que l'on passe aussi dans cette scène du regard des autres au regard intérieur. Le délire de Lorenzo est-il l'indice d'une folie latente ou une sorte d'autoexcitation au meurtre ? Justifiez votre réponse.

4. Le personnage de Scoroncolo est-il burlesque ou tragique ? second couteau ou matamore ? Citez le texte.

VARIATIONS

5. Faites une étude comparative de cette scène et des autres « répétitions » du meurtre et, enfin, du meurtre lui-même (acte IV, sc. 11). Quelle est la fonction de ces différentes versions de l'assassinat ?

6. Comparez cette utilisation du théâtre dans le théâtre avec celle de Shakespeare dans *Hamlet* (acte III, sc. 2).

7. Montrez comment Musset théâtralise le récit de Varchi (voir p. 224) en utilisant de nombreux « détails vrais ». Pourquoi les aspects sanglants de cette mise à mort sont-ils soulignés dans ce simulacre, alors qu'ils seront effacés dans la scène réelle ?

8. Georges Lavaudant, metteur en scène de *Lorenzaccio* à la Comédie-Française (voir p. 247), parle d'une sorte de « rituel » : en quoi les diverses reprises de la scène peuvent-elles justifier ce terme ?

9. Étudiez cette scène dans la perspective d'une tension, propre à toute la pièce, entre le dire et le faire.

SCÈNE 2.

Au palais Strozzi.

Entrent PHILIPPE *et* PIERRE.

PIERRE. Quand je pense à cela, j'ai envie de me couper la main droite. Avoir manqué cette canaille ! Un coup si juste, et l'avoir manqué ! À qui n'était-ce pas rendre service que de faire dire aux gens : il y a un Salviati de moins dans les
5 rues ? Mais le drôle a fait comme les araignées — il s'est laissé tomber en repliant ses pattes crochues, et il a fait le mort de peur d'être achevé.

PHILIPPE. Que t'importe qu'il vive ? ta vengeance n'en est que plus complète. On le dit blessé de telle manière, qu'il
10 s'en souviendra toute sa vie.

PIERRE. Oui, je le sais bien, voilà comme vous voyez les choses. Tenez, mon père, vous êtes bon patriote, mais encore meilleur père de famille ; ne vous mêlez pas de tout cela.

PHILIPPE. Qu'as-tu encore en tête ? Ne saurais-tu vivre un
15 quart d'heure sans penser à mal ?

PIERRE. Non, par l'enfer ! je ne saurais vivre un quart d'heure tranquille dans cet air empoisonné. Le ciel me pèse sur la tête comme une voûte de prison, et il me semble que je respire dans les rues des quolibets et des hoquets d'ivrognes.
20 Adieu, j'ai affaire à présent.

PHILIPPE. Où vas-tu ?

PIERRE. Pourquoi voulez-vous le savoir ? Je vais chez les Pazzi.

PHILIPPE. Attends-moi donc, car j'y vais aussi.

25 PIERRE. Pas à présent, mon père, ce n'est pas un bon moment pour vous.

PHILIPPE.   Parle-moi franchement.

PIERRE.   Cela est entre nous. Nous sommes là une cinquantaine, les Ruccellaï et d'autres, qui ne portons pas le
30 bâtard dans nos entrailles.

PHILIPPE.   Ainsi donc ?

PIERRE.   Ainsi donc les avalanches se font quelquefois au moyen d'un caillou gros comme le bout du doigt.

PHILIPPE.   Mais vous n'avez rien d'arrêté ? pas de plan, pas
35 de mesures prises ? Ô enfants, enfants ! jouer avec la vie et la mort ! Des questions qui ont remué le monde ! des idées qui ont blanchi des milliers de têtes, et qui les ont fait rouler comme des grains de sable sur les pieds du bourreau ! des projets que la Providence elle-même regarde en silence et avec
40 terreur, et qu'elle laisse achever à l'homme, sans oser y toucher ! Vous parlez de tout cela en faisant des armes et en buvant un verre de vin d'Espagne, comme s'il s'agissait d'un cheval ou d'une mascarade ! Savez-vous ce que c'est qu'une république, que l'artisan au fond de son atelier, que le
45 laboureur dans son champ, que le citoyen sur la place, que la vie entière d'un royaume ? le bonheur des hommes, Dieu de justice ! Ô enfants, enfants ! savez-vous compter sur vos doigts ?

PIERRE.   Un bon coup de lancette[1] guérit tous les maux.

50 PHILIPPE.   Guérir ! guérir ! Savez-vous que le plus petit coup de lancette doit être donné par le médecin ? Savez-vous qu'il faut une expérience longue comme la vie, et une science grande comme le monde, pour tirer du bras d'un malade une goutte de sang ? N'étais-je pas offensé aussi, la nuit dernière,
55 lorsque tu avais mis ton épée nue sous ton manteau ? Ne

---

1. *Lancette* : bistouri. La saignée est le maître mot de la médecine ancienne.

suis-je pas le père de ma Louise, comme tu es son frère ? N'était-ce pas une juste vengeance ? Et cependant sais-tu ce qu'elle m'a coûté ? Ah ! les pères savent cela, mais non les enfants. Si tu es père un jour, nous en parlerons.

60 PIERRE.   Vous qui savez aimer, vous devriez savoir haïr.

PHILIPPE.   Qu'ont donc fait à Dieu ces Pazzi ? Ils invitent leurs amis à venir conspirer, comme on invite à jouer aux dés, et leurs amis, en entrant dans leur cour, glissent dans le sang de leurs grands-pères[1]. Quelle soif ont donc leurs épées ?
65 Que voulez-vous donc, que voulez-vous ?

PIERRE.   Et pourquoi vous démentir vous-même ? Ne vous ai-je pas entendu cent fois dire ce que nous disons ? Ne savons-nous pas ce qui vous occupe, quand vos domestiques voient à leur lever vos fenêtres éclairées des flambeaux de la
70 veille ? Ceux qui passent les nuits sans dormir ne meurent pas silencieux.

PHILIPPE.   Où en viendrez-vous ? réponds-moi.

PIERRE.   Les Médicis sont une peste. Celui qui est mordu par un serpent n'a que faire d'un médecin ; il n'a qu'à se
75 brûler la plaie[2].

PHILIPPE.   Et quand vous aurez renversé ce qui est, que voulez-vous mettre à la place ?

PIERRE.   Nous sommes toujours sûrs de ne pas trouver pire.

PHILIPPE.   Je vous le dis, comptez sur vos doigts.

80 PIERRE.   Les têtes d'une hydre[3] sont faciles à compter.

---

1. Allusion à la conspiration des Pazzi contre les Médicis (1478).
2. *Se brûler la plaie :* technique de la cautérisation, la seule connue alors pour éviter les infections.
3. *Hydre :* animal fabuleux, serpent d'eau à plusieurs têtes.

PHILIPPE.   Et vous voulez agir ? cela est décidé ?

PIERRE.   Nous voulons couper les jarrets aux meurtriers de Florence.

PHILIPPE.   Cela est irrévocable ? vous voulez agir ?

85   PIERRE.   Adieu, mon père, laissez-moi aller seul.

PHILIPPE.   Depuis quand le vieil aigle reste-t-il dans le nid, quand ses aiglons vont à la curée[1] ? Ô mes enfants ! ma brave et belle jeunesse ! vous qui avez la force que j'ai perdue, vous qui êtes aujourd'hui ce qu'était le jeune Philippe, laissez-

90   le avoir vieilli pour vous ! Emmène-moi, mon fils, je vois que vous allez agir. Je ne vous ferai pas de longs discours, je ne dirai que quelques mots ; il peut y avoir quelque chose de bon dans cette tête grise — deux mots, et ce sera fait. Je ne radote pas encore, je ne vous serai pas à charge ; ne pars pas

95   sans moi, mon enfant, attends que je prenne mon manteau.

PIERRE.   Venez, mon noble père ; nous baiserons le bas de votre robe. Vous êtes notre patriarche, venez voir marcher au soleil les rêves de votre vie. La liberté est mûre ; venez, vieux

100   jardinier de Florence, voir sortir de terre la plante que vous aimez.

Ils sortent.

---

1. *Curée* : à l'origine, ce que l'on donne à manger aux chiens sur la bête tuée lors d'une chasse à courre.

SCÈNE 3.

Une rue.

UN OFFICIER ALLEMAND *et des soldats,* THOMAS STROZZI, *au milieu d'eux.*

L'Officier. Si nous ne le trouvons pas chez lui, nous le trouverons chez les Pazzi.

Thomas. Va ton train, et ne sois pas en peine ; tu sauras ce qu'il en coûte.

5 L'Officier. Pas de menace ; j'exécute les ordres du duc, et n'ai rien à souffrir de personne.

Thomas. Imbécile ! qui arrête un Strozzi sur la parole d'un Médicis !
Il se forme un groupe autour d'eux.

Un Bourgeois. Pourquoi arrêtez-vous ce seigneur ? Nous
10 le connaissons bien, c'est le fils de Philippe.

Un Autre. Lâchez-le, nous répondons pour lui.

Le Premier. Oui, oui, nous répondons pour les Strozzi. Laisse-le aller, ou prends garde à tes oreilles.

L'Officier. Hors de là, canaille ! laissez passer la justice du
15 duc, si vous n'aimez pas les coups de hallebarde.
Pierre et Philippe arrivent.

Pierre. Qu'y a-t-il ? quel est ce tapage ? Que fais-tu là, Thomas ?

Le Bourgeois. Empêche-le, Philippe, empêche-le d'emmener ton fils en prison.

20 Philippe. En prison ? et sur quel ordre ?

Pierre. En prison ? sais-tu à qui tu as affaire ?

L'Officier. Qu'on saisisse cet homme !
Les soldats arrêtent Pierre.

PIERRE.   Lâchez-moi, misérables, ou je vous éventre comme des pourceaux !

25   PHILIPPE.   Sur quel ordre agissez-vous, monsieur ?

L'OFFICIER, *montrant l'ordre du duc.*   Voilà mon mandat. J'ai ordre d'arrêter Pierre et Thomas Strozzi.
Les soldats repoussent le peuple, qui leur jette des cailloux.

PIERRE.   De quoi nous accuse-t-on ?   qu'avons-nous fait ? Aidez-moi, mes amis, rossons cette canaille.
Il tire son épée. Un autre détachement de soldats arrive.

30   L'OFFICIER.   Venez ici, prêtez-moi main-forte. *(Pierre est désarmé.)* En marche ! et le premier qui approche de trop près, un coup de pique dans le ventre ! Cela leur apprendra à se mêler de leurs affaires.

PIERRE.   On n'a pas le droit de m'arrêter sans un ordre des
35   Huit. Je me soucie bien des ordres d'Alexandre ! Où est l'ordre des Huit ?

L'OFFICIER.   C'est devant eux que nous vous menons.

PIERRE.   Si c'est devant eux, je n'ai rien à dire. De quoi suis-je accusé ?

40   UN HOMME DU PEUPLE.   Comment, Philippe, tu laisses emmener tes enfants au tribunal des Huit ?

PIERRE.   Répondez donc, de quoi suis-je accusé ?

L'OFFICIER.   Cela ne me regarde pas.
Les soldats sortent avec Pierre et Thomas.

PIERRE, *en sortant.*   N'ayez aucune inquiétude, mon père ;
45   les Huit me renverront souper à la maison, et le bâtard en sera pour ses frais de justice.

PHILIPPE, *seul, s'asseyant sur un banc.*   J'ai beaucoup d'enfants, mais pas pour longtemps, si cela va si vite. Où en sommes-nous donc si une vengeance aussi juste que le ciel que voilà
50   est clair, est punie comme un crime ! Eh quoi ! les deux aînés d'une famille vieille comme la ville, emprisonnés comme des voleurs de grand chemin ! la plus grossière insulte châtiée, un

Salviati frappé, seulement frappé, et des hallebardes en jeu !
Sors donc du fourreau, mon épée. Si le saint appareil des
55 exécutions judiciaires devient la cuirasse des ruffians et des
ivrognes, que la hache et le poignard, cette arme des assassins,
protègent l'homme de bien. Ô Christ ! La justice devenue
une entremetteuse ! L'honneur des Strozzi souffleté en place
publique et un tribunal répondant des quolibets d'un rustre !
60 Un Salviati jetant à la plus noble famille de Florence son gant
taché de vin et de sang, et, lorsqu'on le châtie, tirant pour
se défendre le coupe-tête du bourreau ! Lumière du soleil !
j'ai parlé, il n'y a pas un quart d'heure, contre les idées de
révolte, et voilà le pain qu'on me donne à manger, avec mes
65 paroles de paix sur les lèvres ! Allons, mes bras, remuez ! et
toi, vieux corps courbé par l'âge et par l'étude, redresse-toi
pour l'action !
Entre Lorenzo.

Lorenzo.   Demandes-tu l'aumône, Philippe, assis au coin de
cette rue ?

70 Philippe.   Je demande l'aumône à la justice des hommes ;
je suis un mendiant affamé de justice, et mon honneur est
en haillons.

Lorenzo.   Quel changement va donc s'opérer dans le monde,
et quelle robe nouvelle va revêtir la nature, si le masque de
75 la colère s'est posé sur le visage auguste et paisible du vieux
Philippe ? Ô mon père[1], quelles sont ces plaintes ? pour qui
répands-tu sur la terre les joyaux les plus précieux qu'il y ait
sous le soleil, les larmes d'un homme sans peur et sans
reproche ?

80 Philippe.   Il faut nous délivrer des Médicis, Lorenzo. Tu es
un Médicis toi-même, mais seulement par ton nom. Si je t'ai

---

1. *Ô mon père* : expression marquant l'affection et le respect.

bien connu, si la hideuse comédie que tu joues m'a trouvé impassible et fidèle spectateur, que l'homme sorte de l'histrion[1] ! Si tu as jamais été quelque chose d'honnête, sois-
85 le aujourd'hui. Pierre et Thomas sont en prison.

LORENZO.   Oui, oui, je sais cela.

PHILIPPE.   Est-ce là ta réponse ? Est-ce là ton visage, homme sans épée ?

LORENZO.   Que veux-tu ? dis-le, et tu auras alors ma réponse.

90 PHILIPPE.   Agir ! Comment, je n'en sais rien. Quel moyen employer, quel levier mettre sous cette citadelle de mort, pour la soulever et la pousser dans le fleuve, quoi faire, que résoudre, quels hommes aller trouver, je ne puis le savoir encore, mais agir, agir, agir ! Ô Lorenzo, le temps est venu.
95 N'es-tu pas diffamé, traité de chien et de sans-cœur ? Si je t'ai tenu en dépit de tout ma porte ouverte, ma main ouverte, mon cœur ouvert, parle, et que je voie si je me suis trompé. Ne m'as-tu pas parlé d'un homme qui s'appelle aussi Lorenzo, et qui se cache derrière le Lorenzo que voilà ? Cet homme
100 n'aime-t-il pas sa patrie, n'est-il pas dévoué à ses amis ? Tu le disais, et je l'ai cru. Parle, parle, le temps est venu.

LORENZO.   Si je ne suis pas tel que vous le désirez, que le soleil me tombe sur la tête !

PHILIPPE.   Ami, rire d'un vieillard désespéré, cela porte
105 malheur. Si tu dis vrai, à l'action ! J'ai de toi des promesses qui engageraient Dieu lui-même, et c'est sur ces promesses que je t'ai reçu. Le rôle que tu joues est un rôle de boue et de lèpre, tel que l'enfant prodigue ne l'aurait pas joué dans un jour de démence — et cependant je t'ai reçu. Quand les
110 pierres criaient à ton passage, quand chacun de tes pas faisait jaillir des mares de sang humain, je t'ai appelé du nom sacré

---

1. *Histrion* : acteur jouant des farces grossières, bouffon.

d'ami, je me suis fait sourd pour te croire, aveugle pour
t'aimer ; j'ai laissé l'ombre de ta mauvaise réputation passer
sur mon honneur, et mes enfants ont douté de moi en
115 trouvant sur ma main la trace hideuse du contact de la tienne.
Sois honnête, car je l'ai été ; agis, car tu es jeune, et je suis
vieux.

LORENZO.   Pierre et Thomas sont en prison ; est-ce là tout ?

PHILIPPE.   Ô ciel et terre ! oui, c'est là tout — presque rien,
120 deux enfants de mes entrailles qui vont s'asseoir au banc des
voleurs — deux têtes que j'ai baisées autant de fois que j'ai
de cheveux gris, et que je vais trouver demain matin clouées
sur la porte de la forteresse — oui, c'est là tout, rien de plus,
en vérité.

125 LORENZO.   Ne me parle pas sur ce ton. Je suis rongé d'une
tristesse auprès de laquelle la nuit la plus sombre est une
lumière éblouissante.

Il s'assied près de Philippe.

PHILIPPE.   Que je laisse mourir mes enfants, cela est impossible,
vois-tu ! On m'arracherait les bras et les jambes, que, comme
130 le serpent, les morceaux mutilés de Philippe se rejoindraient
encore et se lèveraient pour la vengeance. Je connais si bien
tout cela ! Les Huit ! un tribunal d'hommes de marbre ! une
forêt de spectres, sur laquelle passe de temps en temps le
vent lugubre du doute qui les agite pendant une minute, pour
135 se résoudre en un mot sans appel ! Un mot, un mot, ô
conscience ! Ces hommes-là mangent, ils dorment, ils ont des
femmes et des filles ! Ah ! qu'ils tuent, qu'ils égorgent, mais
pas mes enfants, pas mes enfants !

LORENZO.   Pierre est un homme ; il parlera, et il sera mis
140 en liberté.

PHILIPPE.   Ô mon Pierre, mon premier-né !

LORENZO.   Rentrez chez vous, tenez-vous tranquille — ou
faites mieux, quittez Florence. Je vous réponds de tout, si
vous quittez Florence.

Lorenzo (Gérard Philipe). Mise en scène de Jean Vilar.
Festival d'Avignon, 1952.

145 PHILIPPE.   Moi, un banni ! moi dans un lit d'auberge à mon heure dernière ! Ô Dieu ! et tout cela pour une parole d'un Salviati !

LORENZO.   Sachez-le, Salviati voulait séduire votre fille, mais non pas pour lui seul. Alexandre a un pied dans le lit de cet 150 homme ; il y exerce le droit du seigneur sur la prostitution.

PHILIPPE.   Et nous n'agirons pas ! Ô Lorenzo, Lorenzo ! tu es un homme ferme, toi ; parle-moi, je suis faible, et mon cœur est trop intéressé dans tout cela. Je m'épuise, vois-tu, j'ai trop réfléchi ici-bas, j'ai trop tourné sur moi-même, comme 155 un cheval de pressoir — je ne vaux plus rien pour la bataille. Dis-moi ce que tu penses, je le ferai.

LORENZO.   Rentrez chez vous, mon bon monsieur.

PHILIPPE.   Voilà qui est certain, je vais aller chez les Pazzi. Là sont cinquante jeunes gens, tous déterminés. Ils ont juré 160 d'agir ; je leur parlerai noblement, comme un Strozzi et comme un père, et ils m'entendront. Ce soir, j'inviterai à souper les quarante membres de ma famille ; je leur raconterai ce qui m'arrive. Nous verrons, nous verrons ! rien n'est encore fait. Que les Médicis prennent garde à eux ! Adieu, je vais 165 chez les Pazzi ; aussi bien, j'y allais avec Pierre, quand on l'a arrêté.

LORENZO.   Il y a plusieurs démons, Philippe. Celui qui te tente en ce moment n'est pas le moins à craindre de tous.

PHILIPPE.   Que veux-tu dire ?

170 LORENZO.   Prends-y garde, c'est un démon plus beau que Gabriel[1]. La liberté, la patrie, le bonheur des hommes, tous ces mots résonnent à son approche comme les cordes d'une lyre ; c'est le bruit des écailles d'argent de ses ailes flamboyantes.

---

1. *Gabriel :* l'archange Gabriel.

Les larmes de ses yeux fécondent la terre, et il tient à la
175 main la palme des martyrs. Ses paroles épurent l'air autour
de ses lèvres ; son vol est si rapide, que nul ne peut dire où
il va. Prends-y garde ! Une fois dans ma vie, je l'ai vu traverser
les cieux. J'étais courbé sur mes livres — le toucher de sa
main a fait frémir mes cheveux comme une plume légère.
180 Que je l'aie écouté ou non, n'en parlons pas.

PHILIPPE. Je ne te comprends qu'avec peine, et je ne sais
pourquoi j'ai peur de te comprendre.

LORENZO. N'avez-vous dans la tête que cela — délivrer vos
fils ? Mettez la main sur la conscience. — Quelque autre
185 pensée plus vaste, plus terrible, ne vous entraîne-t-elle pas,
comme un chariot étourdissant, au milieu de cette jeunesse ?

PHILIPPE. Eh bien ! oui, que l'injustice faite à ma famille
soit le signal de la liberté. Pour moi, et pour tous, j'irai !

LORENZO. Prends garde à toi, Philippe, tu as pensé au
190 bonheur de l'humanité.

PHILIPPE. Que veux dire ceci ? Es-tu dedans comme au-
dehors une vapeur infecte ? Toi qui m'as parlé d'une liqueur
précieuse dont tu étais le flacon, est-ce là ce que tu renfermes ?

LORENZO. Je suis en effet précieux pour vous, car je tuerai
195 Alexandre.

PHILIPPE. Toi ?

LORENZO. Moi, demain ou après-demain. Rentrez chez vous,
tâchez de délivrer vos enfants — si vous ne le pouvez pas,
laissez-leur subir une légère punition — je sais pertinemment
200 qu'il n'y a pas d'autres dangers pour eux, et je vous répète
que, d'ici à quelques jours, il n'y aura pas plus d'Alexandre
de Médicis à Florence, qu'il n'y a de soleil à minuit.

PHILIPPE. Quand cela serait vrai, pourquoi aurais-je tort de
penser à la Liberté ? Ne viendra-t-elle pas quand tu auras fait
205 ton coup, si tu le fais ?

LORENZO. Philippe, Philippe, prends garde à toi. Tu as

soixante ans de vertu sur ta tête grise ; c'est un enjeu trop
cher pour le jouer aux dés.

PHILIPPE. Si tu caches sous ces sombres paroles quelque
210 chose que je puisse entendre, parle ; tu m'irrites singulièrement.

LORENZO. Tel que tu me vois, Philippe, j'ai été honnête.
J'ai cru à la vertu, à la grandeur humaine, comme un martyr
croit à son Dieu. J'ai versé plus de larmes sur la pauvre Italie,
que Niobé[1] sur ses filles.

215 PHILIPPE. Eh bien, Lorenzo ?

LORENZO. Ma jeunesse a été pure comme l'or. Pendant
vingt ans de silence, la foudre s'est amoncelée dans ma
poitrine ; et il faut que je sois réellement une étincelle du
tonnerre, car tout à coup, une certaine nuit que j'étais assis
220 dans les ruines du Colisée antique[2], je ne sais pourquoi je
me levai ; je tendis vers le ciel mes bras trempés de rosée, et
je jurai qu'un des tyrans de ma patrie mourrait de ma main.
J'étais un étudiant paisible, et je ne m'occupais alors que des
arts et des sciences, et il m'est impossible de dire comment
225 cet étrange serment s'est fait en moi. Peut-être est-ce là ce
qu'on éprouve quand on devient amoureux.

PHILIPPE. J'ai toujours eu confiance en toi, et cependant je
crois rêver.

LORENZO. Et moi aussi. J'étais heureux alors, j'avais le cœur
230 et les mains tranquilles ; mon nom m'appelait au trône, et je
n'avais qu'à laisser le soleil se lever et se coucher pour voir
fleurir autour de moi toutes les espérances humaines. Les
hommes ne m'avaient fait ni bien ni mal, mais j'étais bon,
et, pour mon malheur éternel, j'ai voulu être grand. Il faut

---

1. *Niobé :* Apollon et Diane tuèrent les sept fils et les sept filles de
Niobé parce qu'elle s'était moquée de leur mère Latone qui n'avait
eu que deux enfants.
2. *Colisée antique :* grand amphithéâtre de Rome (80 apr. J. - C.) où
avaient lieu les combats de gladiateurs.

235 que je l'avoue, si la Providence m'a poussé à la résolution de
tuer un tyran, quel qu'il fût, l'orgueil m'y a poussé aussi.
Que te dirais-je de plus ? tous les Césars du monde me
faisaient penser à Brutus.

PHILIPPE.   L'orgueil de la vertu est un noble orgueil. Pourquoi
240 t'en défendrais-tu ?

LORENZO.   Tu ne sauras jamais, à moins d'être fou, de quelle
nature est la pensée qui m'a travaillé. Pour comprendre
l'exaltation fiévreuse qui a enfanté en moi le Lorenzo qui te
parle, il faudrait que mon cerveau et mes entrailles fussent à
245 nu sous un scalpel. Une statue qui descendrait de son piédestal
pour marcher parmi les hommes sur la place publique, serait
peut-être semblable à ce que j'ai été, le jour où j'ai commencé
à vivre avec cette idée : il faut que je sois un Brutus[1].

PHILIPPE.   Tu m'étonnes de plus en plus.

250 LORENZO.   J'ai voulu d'abord tuer Clément VII. Je n'ai pu
le faire, parce qu'on m'a banni de Rome avant le temps. J'ai
recommencé mon ouvrage avec Alexandre. Je voulais agir seul,
sans le secours d'aucun homme. Je travaillais pour l'humanité ;
mais mon orgueil restait solitaire au milieu de tous mes rêves
255 philanthropiques. Il fallait donc entamer par la ruse un combat
singulier avec mon ennemi. Je ne voulais pas soulever les
masses, ni conquérir la gloire bavarde d'un paralytique comme
Cicéron[2]. Je voulais arriver à l'homme, me prendre corps à

---

1. *Brutus* : Lorenzo confond volontairement ici deux Brutus : celui
qui tua Tarquin et établit la république en 509 av. J.-C. (voir II, 4)
et celui qui participa à l'assassinat de Jules César en 44 av. J.-C., le
15 mars, afin de l'empêcher de devenir roi de Rome. Lorenzo joue
sur l'ambiguïté du mot « César » (voir note 1 p. 51).
2. *Cicéron* : écrivain, orateur, homme politique romain (106-43 av.
J.-C.). Il fut toujours partisan de la parole et du droit contre toute
action violente révolutionnaire : *cedant arma togae* (« que les armes
cèdent à la toge », c'est-à-dire à l'orateur revêtu de la toge, symbole
de la vie civile).

corps avec la tyrannie vivante, la tuer, porter mon épée
260 sanglante sur la tribune, et laisser la fumée du sang d'Alexandre
monter au nez des harangueurs[1], pour réchauffer leur cervelle
ampoulée[2].

PHILIPPE.   Quelle tête de fer as-tu, ami ! quelle tête de fer !

LORENZO.   La tâche que je m'imposais était rude avec
265 Alexandre. Florence était, comme aujourd'hui, noyée de vin
et de sang. L'empereur et le pape avaient fait un duc d'un
garçon boucher. Pour plaire à mon cousin, il fallait arriver à
lui, porté par les larmes des familles ; pour devenir son ami,
et acquérir sa confiance, il fallait baiser sur ses lèvres épaisses
270 tous les restes de ses orgies. J'étais pur comme un lis, et
cependant je n'ai pas reculé devant cette tâche. Ce que je
suis devenu à cause de cela, n'en parlons pas. Tu dois
comprendre que j'ai souffert, et il y a des blessures dont on
ne lève pas l'appareil[3] impunément. Je suis devenu vicieux,
275 lâche, un objet de honte et d'opprobre — qu'importe ? ce
n'est pas de cela qu'il s'agit.

PHILIPPE.   Tu baisses la tête, tes yeux sont humides.

LORENZO.   Non, je ne rougis point ; les masques de plâtre
n'ont point de rougeur au service de la honte. J'ai fait ce que
280 j'ai fait. Tu sauras seulement que j'ai réussi dans mon
entreprise. Alexandre viendra bientôt dans un certain lieu d'où
il ne sortira pas debout. Je suis au terme de ma peine, et
sois certain, Philippe, que le buffle sauvage, quand le bouvier[4]
l'abat sur l'herbe, n'est pas entouré de plus de filets, de plus
285 de nœuds coulants, que je n'en ai tissus[5] autour de mon

---

1. *Harangueurs* : orateurs, dans un sens péjoratif (voir p. 254).
2. *Ampoulée* : enflée, déclamatrice, pompeuse. Cet adjectif ne
s'emploie normalement qu'en parlant du style.
3. *Appareil* : pansement.
4. *Bouvier* : celui qui garde les bœufs.
5. *Tissus* : tissés.

bâtard. Ce cœur, jusques auquel une armée ne serait pas parvenue en un an, il est maintenant à nu sous ma main ; je n'ai qu'à laisser tomber mon stylet[1] pour qu'il y entre. Tout sera fait. Maintenant, sais-tu ce qui m'arrive, et ce dont
290 je veux t'avertir ?

PHILIPPE. Tu es notre Brutus, si tu dis vrai.

LORENZO. Je me suis cru un Brutus, mon pauvre Philippe ; je me suis souvenu du bâton d'or couvert d'écorce[2]. Maintenant je connais les hommes, et je te conseille de ne pas t'en mêler.

295 PHILIPPE. Pourquoi ?

LORENZO. Ah ! vous avez vécu tout seul, Philippe. Pareil à un fanal[3] éclatant, vous êtes resté immobile au bord de l'océan des hommes, et vous avez regardé dans les eaux la réflexion de votre propre lumière. Du fond de votre solitude, vous
300 trouviez l'océan magnifique sous le dais splendide des cieux. Vous ne comptiez pas chaque flot, vous ne jetiez pas la sonde ; vous étiez plein de confiance dans l'ouvrage de Dieu. Mais moi, pendant ce temps-là, j'ai plongé — je me suis enfoncé dans cette mer houleuse de la vie — j'en ai parcouru
305 toutes les profondeurs, couvert de ma cloche de verre — tandis que vous admiriez la surface, j'ai vu les débris des naufrages, les ossements et les Léviathans[4].

PHILIPPE. Ta tristesse me fend le cœur.

LORENZO. C'est parce que je vous vois tel que j'ai été, et

---

1. *Stylet :* poignard à lame très fine.
2. *Bâton ... écorce :* Brutus l'Ancien s'était volontairement couvert de ridicule en offrant pour tout présent à l'oracle d'Apollon qu'il était allé consulter à Delphes un bâton. Mais ce bâton évidé contenait en fait un lingot d'or. Grâce à cet oracle, Brutus sut qu'il était destiné à tuer le tyran de Rome.
3. *Fanal :* à l'origine, lanterne employée sur les navires ou pour le balisage des côtes.
4. *Léviathans :* dans la Bible, le léviathan est un monstre marin.

310 sur le point de faire ce que j'ai fait, que je vous parle ainsi.
Je ne méprise point les hommes ; le tort des livres et des
historiens est de nous les montrer différents de ce qu'ils sont.
La vie est comme une cité — on peut y rester cinquante ou
soixante ans sans voir autre chose que des promenades et
315 des palais — mais il ne faut pas entrer dans les tripots, ni
s'arrêter, en rentrant chez soi, aux fenêtres des mauvais
quartiers. Voilà mon avis, Philippe. — S'il s'agit de sauver
tes enfants, je te dis de rester tranquille ; c'est le meilleur
moyen pour qu'on te les renvoie après une petite semonce.
320 — S'il s'agit de tenter quelque chose pour les hommes, je te
conseille de te couper les bras, car tu ne seras pas longtemps
à t'apercevoir qu'il n'y a que toi qui en aies.

PHILIPPE.   Je conçois que le rôle que tu joues t'ait donné de
pareilles idées. Si je te comprends bien, tu as pris, dans un
325 but sublime, une route hideuse, et tu crois que tout ressemble
à ce que tu as vu.

LORENZO.   Je me suis réveillé de mes rêves, rien de plus ;
je te dis le danger d'en faire. Je connais la vie, et c'est une
vilaine cuisine, sois-en persuadé, ne mets pas la main là-
330 dedans, si tu respectes quelque chose.

PHILIPPE.   Arrête ! ne brise pas comme un roseau mon bâton
de vieillesse. Je crois à tout ce que tu appelles des rêves ; je
crois à la vertu, à la pudeur et à la liberté.

LORENZO.   Et me voilà dans la rue, moi, Lorenzaccio ? et
335 les enfants ne me jettent pas de la boue ? Les lits des filles
sont encore chauds de ma sueur, et les pères ne prennent
pas, quand je passe, leurs couteaux et leurs balais pour
m'assommer ? Au fond de ces dix mille maisons que voilà,
la septième génération parlera encore de la nuit où j'y suis
340 entré, et pas une ne vomit à ma vue un valet de charrue qui
me fende en deux comme une bûche pourrie ? L'air que vous
respirez, Philippe, je le respire ; mon manteau de soie bariolé
traîne paresseusement sur le sable fin des promenades ; pas

une goutte de poison ne tombe dans mon chocolat[1] — que
345 dis-je ? ô Philippe ! les mères pauvres soulèvent honteusement
le voile de leurs filles quand je m'arrête au seuil de leurs
portes ; elles me laissent voir leur beauté avec un sourire plus
vil que le baiser de Judas — tandis que moi, pinçant le
menton de la petite, je serre les poings de rage en remuant
350 dans ma poche quatre ou cinq méchantes pièces d'or.

PHILIPPE.   Que le tentateur ne méprise pas le faible ; pourquoi
tenter lorsque l'on doute ?

LORENZO.   Suis-je un Satan ? Lumière du ciel ! je m'en
souviens encore ; j'aurais pleuré avec la première fille que j'ai
355 séduite, si elle ne s'était mise à rire. Quand j'ai commencé à
jouer mon rôle de Brutus moderne, je marchais dans mes
habits neufs de la grande confrérie du vice, comme un enfant
de dix ans dans l'armure d'un géant de la fable. Je croyais
que la corruption était un stigmate[2], et que les monstres seuls
360 le portaient au front. J'avais commencé à dire tout haut que
mes vingt années de vertu étaient un masque étouffant — ô
Philippe ! j'entrai alors dans la vie, et je vis qu'à mon approche
tout le monde en faisait autant que moi ; tous les masques
tombaient devant mon regard ; l'Humanité souleva sa robe,
365 et me montra, comme à un adepte digne d'elle, sa monstrueuse
nudité. J'ai vu les hommes tels qu'ils sont, et je me suis dit :
Pour qui est-ce donc que je travaille ? Lorsque je parcourais
les rues de Florence, avec mon fantôme à mes côtés, je
regardais autour de moi, je cherchais les visages qui me
370 donnaient du cœur, et je me demandais : Quand j'aurai fait
mon coup, celui-là en profitera-t-il ? — J'ai vu les républicains

---

1. *Chocolat* : anachronisme, au moins dans la connotation ; (mets de
grand luxe apparu en Europe à la fin du XVIᵉ siècle, il représente ici
le confort paresseux des grasses matinées bourgeoises).
2. *Stigmate* : marque indélébile sur la peau.

dans leurs cabinets, je suis entré dans les boutiques, j'ai écouté et j'ai guetté. J'ai recueilli les discours des gens du peuple, j'ai vu l'effet que produisait sur eux la tyrannie ; j'ai bu, dans
375 les banquets patriotiques[1], le vin qui engendre la métaphore et la prosopopée[2], j'ai avalé entre deux baisers les larmes les plus vertueuses ; j'attendais toujours que l'Humanité me laissât voir sur sa face quelque chose d'honnête. J'observais... comme un amant observe sa fiancée, en attendant le jour des noces !...

380 PHILIPPE.   Si tu n'as vu que le mal, je te plains, mais je ne puis te croire. Le mal existe, mais non pas sans le bien, comme l'ombre existe, mais non sans la lumière.

LORENZO.   Tu ne veux voir en moi qu'un mépriseur d'hommes ; c'est me faire injure. Je sais parfaitement qu'il y
385 en a de bons, mais à quoi servent-ils ? que font-ils ? comment agissent-ils ? Qu'importe que la conscience soit vivante, si le bras est mort ? Il y a de certains côtés par où tout devient bon : un chien est un ami fidèle ; on peut trouver en lui le meilleur des serviteurs, comme on peut voir aussi qu'il se
390 roule sur les cadavres, et que la langue avec laquelle il lèche son maître sent la charogne d'une lieue. Tout ce que j'ai à voir, moi, c'est que je suis perdu, et que les hommes n'en profiteront pas plus qu'ils ne me comprendront.

PHILIPPE.   Pauvre enfant, tu me navres le cœur ! Mais si tu
395 es honnête, quand tu auras délivré ta patrie, tu le redeviendras.

---

1. *Banquets patriotiques* : allusion à la situation politique française à l'époque de Musset ; les assemblées politiques étant alors interdites et très contrôlées par la police, les républicains avaient imaginé cette façade à leurs réunions. On y parlait beaucoup et on y conspirait un peu.
2. *Prosopopée* : figure de rhétorique consistant à prêter sentiments, paroles ou actions à des personnes absentes ou mortes, à des abstractions, etc.

Cela réjouit mon vieux cœur, Lorenzo, de penser que tu es honnête ; alors tu jetteras ce déguisement hideux qui te défigure, et tu redeviendras d'un métal aussi pur que les statues de bronze d'Harmodius et d'Aristogiton[1].

400 LORENZO. Philippe, Philippe, j'ai été honnête. La main qui a soulevé une fois le voile de la vérité ne peut plus le laisser retomber ; elle reste immobile jusqu'à la mort, tenant toujours ce voile terrible, et l'élevant de plus en plus au-dessus de la tête de l'homme, jusqu'à ce que l'Ange du sommeil éternel
405 lui bouche les yeux.

PHILIPPE. Toutes les maladies se guérissent, et le vice est aussi une maladie.

LORENZO. Il est trop tard — je me suis fait à mon métier. Le vice a été pour moi un vêtement, maintenant il est collé
410 à ma peau. Je suis vraiment un ruffian, et quand je plaisante sur mes pareils, je me sens sérieux comme la mort au milieu de ma gaieté. Brutus a fait le fou pour tuer Tarquin, et ce qui m'étonne en lui, c'est qu'il n'y ait pas laissé sa raison. Profite de moi, Philippe, voilà ce que j'ai à te dire — ne
415 travaille pas pour ta patrie.

PHILIPPE. Si je te croyais, il me semble que le ciel s'obscurcirait pour toujours, et que ma vieillesse serait condamnée à marcher à tâtons. Que tu aies pris une route dangereuse, cela peut être ; pourquoi ne pourrais-je en prendre une autre qui me
420 mènerait au même point ? Mon intention est d'en appeler au peuple, et d'agir ouvertement.

LORENZO. Prends garde à toi, Philippe, celui qui te le dit

---

1. *Harmodius ... Aristogiton* : ces deux jeunes gens assassinèrent un des deux tyrans d'Athènes, Hipparque, mais furent pris et exécutés par l'autre, Hippias. La tradition en fit des martyrs de la liberté et des statues commémoratives ornaient la ville.

sait pourquoi il le dit. Prends le chemin que tu voudras, tu auras toujours affaire aux hommes.

425 PHILIPPE.   Je crois à l'honnêteté des républicains.

LORENZO.   Je te fais une gageure. Je vais tuer Alexandre ; une fois mon coup fait, si les républicains se comportent comme ils le doivent, il leur sera facile d'établir une république, la plus belle qui ait jamais fleuri sur la terre. Qu'ils aient
430 pour eux le peuple, et tout est dit. — Je te gage que ni eux ni le peuple ne feront rien. Tout ce que je te demande, c'est de ne pas t'en mêler ; parle, si tu le veux, mais prends garde à tes paroles, et encore plus à tes actions. Laisse-moi faire mon coup — tu as les mains pures, et moi, je n'ai rien à
435 perdre.

PHILIPPE.   Fais-le, et tu verras.

LORENZO.   Soit — mais souviens-toi de ceci. Vois-tu, dans cette petite maison, cette famille assemblée autour d'une table ? ne dirait-on pas des hommes ? Ils ont un corps, et
440 une âme dans ce corps. Cependant, s'il me prenait envie d'entrer chez eux, tout seul, comme me voilà, et de poignarder leur fils aîné au milieu d'eux, il n'y aurait pas un couteau de levé sur moi.

PHILIPPE.   Tu me fais horreur. Comment le cœur peut-il
445 rester grand, avec des mains comme les tiennes ?

LORENZO.   Viens, rentrons à ton palais, et tâchons de délivrer tes enfants.

PHILIPPE.   Mais pourquoi tueras-tu le duc, si tu as des idées pareilles ?

450 LORENZO.   Pourquoi ? tu le demandes ?

PHILIPPE.   Si tu crois que c'est un meurtre inutile à ta patrie, pourquoi le commets-tu ?

LORENZO.   Tu me demandes cela en face ? Regarde-moi un peu. J'ai été beau, tranquille et vertueux.

455 PHILIPPE.   Quel abîme ! quel abîme tu m'ouvres !

LORENZO. Tu me demandes pourquoi je tue Alexandre ?
Veux-tu donc que je m'empoisonne, ou que je saute dans
l'Arno ? veux-tu donc que je sois un spectre, et qu'en frappant
sur ce squelette... *(Il frappe sa poitrine.)* il n'en sorte aucun
460 son ? Si je suis l'ombre de moi-même, veux-tu donc que je
rompe le seul fil qui rattache aujourd'hui mon cœur à quelques
fibres de mon cœur d'autrefois ? Songes-tu que ce meurtre,
c'est tout ce qui me reste de ma vertu ? Songes-tu que je
glisse depuis deux ans sur un rocher taillé à pic, et que ce
465 meurtre est le seul brin d'herbe où j'aie pu cramponner mes
ongles ? Crois-tu donc que je n'aie plus d'orgueil, parce que
je n'ai plus de honte, et veux-tu que je laisse mourir en silence
l'énigme de ma vie ? Oui, cela est certain, si je pouvais revenir
à la vertu, si mon apprentissage du vice pouvait s'évanouir,
470 j'épargnerais peut-être ce conducteur de bœufs — mais j'aime
le vin, le jeu et les filles, comprends-tu cela ? Si tu honores
en moi quelque chose, toi qui me parles, c'est mon meurtre
que tu honores, peut-être justement parce que tu ne le ferais
pas. Voilà assez longtemps, vois-tu, que les républicains me
475 couvrent de boue et d'infamie ; voilà assez longtemps que les
oreilles me tintent, et que l'exécration des hommes empoisonne
le pain que je mâche. J'en ai assez de me voir conspué par
des lâches sans nom, qui m'accablent d'injures pour se
dispenser de m'assommer, comme ils le devraient. J'en ai
480 assez d'entendre brailler en plein vent le bavardage humain ;
il faut que le monde sache un peu qui je suis, et qui il est.
Dieu merci, c'est peut-être demain que je tue Alexandre ; dans
deux jours j'aurai fini. Ceux qui tournent autour de moi avec
des yeux louches, comme autour d'une curiosité monstrueuse
485 apportée d'Amérique, pourront satisfaire leur gosier, et vider
leur sac à paroles. Que les hommes me comprennent ou non,
qu'ils agissent ou n'agissent pas, j'aurai dit tout ce que j'ai à
dire ; je leur ferai tailler leurs plumes, si je ne leur fais pas
nettoyer leurs piques, et l'Humanité gardera sur sa joue le
490 soufflet de mon épée marqué en traits de sang. Qu'ils

m'appellent comme ils voudront, Brutus ou Érostrate[1], il ne me plaît pas qu'ils m'oublient. Ma vie entière est au bout de ma dague, et que la Providence retourne ou non la tête en m'entendant frapper, je jette la nature humaine à pile ou face
495 sur la tombe d'Alexandre — dans deux jours, les hommes comparaîtront devant le tribunal de ma volonté.

PHILIPPE.   Tout cela m'étonne, et il y a dans tout ce que tu m'as dit des choses qui me font peine, et d'autres qui me font plaisir. Mais Pierre et Thomas sont en prison, et je ne
500 saurais là-dessus m'en fier à personne qu'à moi-même. C'est en vain que ma colère voudrait ronger son frein ; mes entrailles sont émues trop vivement. Tu peux avoir raison, mais il faut que j'agisse ; je vais rassembler mes parents.

LORENZO.   Comme tu voudras, mais prends garde à toi.
505 Garde-moi le secret, même avec tes amis, c'est tout ce que je te demande.
Ils sortent.

---

1. *Érostrate* : désespérant de faire parler de lui en bien, Érostrate incendia en 356 av. J.-C. le temple de Diane à Éphèse, réputé une des sept merveilles du monde.

Acte III Scène 3

UNE CONFESSION : COMMENT ? POURQUOI ?

1. Quelle est la fonction de ·cette scène pour Philippe ? pour Lorenzo ? pour le spectateur ? pour l'action ?

2. Étudiez la progression de la scène. En quoi est-elle bien un dialogue et non, comme dans la tragédie classique, un monologue devant un(e) confident(e) ? Y a-t-il révélation ou débat ? Justifiez votre réponse.

3. Quel rôle joue Philippe ? Montrez qu'il est à la fois père noble de la tragédie et vieillard de comédie.

4. La véritable découverte de Lorenzo n'est-elle pas celle de la contingence ? Pensez à cette phrase du critique et essayiste Gaétan Picon (1915 - 1976) : « l'homme n'existe pour rien dans un monde qui n'a pas de sens ».

LE PUR ET L'IMPUR

5. Analysez comment l'opposition du pur et de l'impur exprime en fait le passage du rêve à l'action, de l'enfance à l'âge d'homme, de la séparation à l'intégration sociale.

6. Relevez les diverses métaphores du pur et de l'impur : lesquelles sont les plus fortes ? Pourquoi ?

7. En quoi, sur ce plan, Philippe est-il proche de Lorenzo ?

LYRISME ?...

8. Étudiez les procédés qui font de cette confession un moment lyrique (voir aussi les stances de Corneille dans *le Cid* ou *Polyeucte*).

9. Montrez aussi que (comme d'habitude) Musset nous interdit, par toutes sortes de ruptures de ton, de nous éblouir trop de belles phrases.

10. Peut-on totalement s'identifier à Lorenzo ou à Philippe ? Pourquoi ?

SCÈNE 4.

Au palais Soderini.

Entre CATHERINE, *lisant un billet.* « Lorenzo a dû vous parler de moi, mais qui pourrait vous parler dignement d'un amour pareil au mien ? Que ma plume vous apprenne ce que ma bouche ne peut vous dire, et ce que mon cœur voudrait
5 signer de son sang. »

Alexandre de Médicis.

Si mon nom n'était pas sur l'adresse, je croirais que le messager s'est trompé, et ce que je lis me fait douter de mes yeux. *(Entre Marie.)* Ô ma mère chérie ! voyez ce qu'on
10 m'écrit ; expliquez-moi, si vous pouvez, ce mystère.

MARIE. Malheureuse ! malheureuse ! il t'aime ! Où t'a-t-il vue ? où lui as-tu parlé ?

CATHERINE. Nulle part ; un messager m'a apporté cela comme je sortais de l'église.

15 MARIE. Lorenzo, dit-il, a dû te parler de lui ! Ah ! Catherine, avoir un fils pareil ! Oui, faire de la sœur de sa mère la maîtresse du duc, non pas même la maîtresse, ô ma fille ! Quels noms portent ces créatures ? je ne puis le dire — oui, il manquait cela à Lorenzo. Viens, je veux lui porter cette
20 lettre ouverte, et savoir, devant Dieu, comment il répondra.

CATHERINE. Je croyais que le duc aimait... pardon, ma mère... mais je croyais que le duc aimait la comtesse[1] Cibo... on me l'avait dit...

MARIE. Cela est vrai, il l'a aimée, s'il peut aimer.

---

1. *Comtesse :* négligence de Musset qui avait d'abord pensé donner ce titre aux Cibo.

25 CATHERINE. Il ne l'aime plus ? Ah ! comment peut-on offrir sans honte un cœur pareil ! Venez, ma mère, venez chez Lorenzo.

MARIE. Donne-moi ton bras. Je ne sais ce que j'éprouve depuis quelques jours, j'ai eu la fièvre toutes les nuits — il
30 est vrai que, depuis trois mois, elle ne me quitte guère. J'ai trop souffert, ma pauvre Catherine ; pourquoi m'as-tu lu cette lettre ? je ne puis plus rien supporter. Je ne suis plus jeune, et cependant il me semble que je le redeviendrais à certaines conditions ; mais tout ce que je vois m'entraîne vers la tombe.
35 Allons, soutiens-moi, pauvre enfant, je ne te donnerai pas longtemps cette peine.

Elles sortent.

SCÈNE 5.

Chez la marquise.

LA MARQUISE, *parée, devant un miroir.* Quand je pense que cela est, cela me fait l'effet d'une nouvelle qu'on m'apprendrait tout à coup. Quel précipice que la vie ! Comment ! il est déjà neuf heures, et c'est le duc que j'attends dans cette
5 toilette ! N'importe, advienne que pourra, je veux essayer mon pouvoir.

Entre le cardinal.

LE CARDINAL. Quelle parure, marquise ! voilà des fleurs qui embaument.

LA MARQUISE. Je ne puis vous recevoir, cardinal — j'attends
10 une amie — vous m'excuserez.

141

LE CARDINAL. Je vous laisse, je vous laisse. Ce boudoir[1] dont j'aperçois la porte entr'ouverte là-bas, c'est un petit paradis. Irai-je vous y attendre ?

LA MARQUISE. Je suis pressée, pardonnez-moi — non — pas
15 dans mon boudoir — où vous voudrez.

LE CARDINAL. Je reviendrai dans un moment plus favorable.
Il sort.

LA MARQUISE. Pourquoi toujours le visage de ce prêtre ? Quels cercles décrit donc autour de moi ce vautour à tête chauve, pour que je le trouve sans cesse derrière moi quand
20 je me retourne ? Est-ce que l'heure de ma mort serait proche[2] ? *(Entre un page qui lui parle à l'oreille.)* C'est bon, j'y vais. Ah ! ce métier de servante, tu n'y es pas fait, pauvre cœur orgueilleux.
Elle sort.

SCÈNE 6.

Le boudoir de la marquise.

LA MARQUISE, LE DUC.

LA MARQUISE. C'est ma façon de penser — je t'aimerais ainsi.

LE DUC. Des mots, des mots[3], et rien de plus.

---

1. *Boudoir :* cette pièce évoque plus le XIXᵉ siècle et la Parisienne que le drame de la Renaissance.
2. Les vautours ont la réputation de voler autour des moribonds, attendant de pouvoir dévorer leur cadavre.
3. Souvenir d'*Hamlet* de Shakespeare (vers 1601).

LA MARQUISE. Vous autres hommes, cela est si peu pour
5 vous ! Sacrifier le repos de ses jours, la sainte chasteté de
l'honneur, quelquefois ses enfants même, — ne vivre que
pour un seul être au monde — se donner, enfin, se donner,
puisque cela s'appelle ainsi ! Mais cela n'en vaut pas la peine !
à quoi bon écouter une femme ? une femme qui parle d'autre
10 chose que de chiffons et de libertinage, cela ne se voit pas !

LE DUC. Vous rêvez tout éveillée.

LA MARQUISE. Oui, par le ciel ! oui, j'ai fait un
rêve — hélas ! les rois seuls n'en font jamais — toutes les
chimères de leurs caprices se transforment en réalités, et leurs
15 cauchemars eux-mêmes se changent en marbre. Alexandre !
Alexandre ! quel mot que celui-là : Je peux si je veux ! — Ah !
Dieu lui-même n'en sait pas plus ! — Devant ce mot, les
mains des peuples se joignent dans une prière craintive, et le
pâle troupeau des hommes retient son haleine pour écouter.

20 LE DUC. N'en parlons plus, ma chère, cela est fatigant.

LA MARQUISE. Être un roi, sais-tu ce que c'est ? Avoir au
bout de son bras cent mille mains ! Être le rayon de soleil
qui sèche les larmes des hommes ! Être le bonheur et le
malheur ! Ah ! quel frisson mortel cela donne ! Comme il
25 tremblerait, ce vieux du Vatican[1], si tu ouvrais tes ailes, toi,
mon aiglon ! César est si loin ! la garnison t'est si dévouée !
Et, d'ailleurs, on égorge une armée, mais l'on n'égorge pas
un peuple. Le jour où tu auras pour toi la nation tout entière,
où tu seras la tête d'un corps libre, où tu diras : « Comme
30 le doge de Venise épouse l'Adriatique[2], ainsi je mets mon
anneau d'or au doigt de ma belle Florence, et ses enfants

---

1. *Ce vieux du Vatican :* le pape.
2. Selon une tradition vénitienne, le doge, chaque année, célébrait
symboliquement ses noces avec la mer.

sont mes enfants... » Ah ! sais-tu ce que c'est qu'un peuple qui prend son bienfaiteur dans ses bras ? Sais-tu ce que c'est que d'être montré par un père à son enfant ?

35 LE DUC. Je me soucie de l'impôt ; pourvu qu'on le paye, que m'importe ?

LA MARQUISE. Mais enfin, on t'assassinera. — Les pavés sortiront de terre, et t'écraseront. Ah ! la Postérité ! N'as-tu jamais vu ce spectre-là au chevet de ton lit ? Ne t'es-tu jamais
40 demandé ce que penseront de toi ceux qui sont dans le ventre des vivants ? Et tu vis, toi — il est encore temps ! Tu n'as qu'un mot à dire. Te souviens-tu du père de la patrie ? Va, cela est facile d'être un grand roi, quand on est roi. Déclare Florence indépendante, réclame l'exécution du traité avec
45 l'empire, tire ton épée, et montre-la — ils te diront de la remettre au fourreau, que ses éclairs leur font mal aux yeux. Songe donc comme tu es jeune ! Rien n'est décidé sur ton compte. — Il y a dans le cœur des peuples de larges indulgences pour les princes, et la reconnaissance publique est
50 un profond fleuve d'oubli pour leurs fautes passées. On t'a mal conseillé, on t'a trompé — mais il est encore temps — tu n'as qu'à dire — tant que tu es vivant, la page n'est pas tournée dans le livre de Dieu.

LE DUC. Assez, ma chère, assez.

55 LA MARQUISE. Ah ! quand elle le sera ! quand un misérable jardinier, payé à la journée, viendra arroser à contre-cœur quelques chétives marguerites autour du tombeau d'Alexandre — quand les pauvres respireront gaiement l'air du ciel, et n'y verront plus planer le sombre météore de ta
60 puissance — quand ils parleront de toi en secouant la tête — quand ils compteront autour de ta tombe les tombes de leurs parents — es-tu sûr de dormir tranquille dans ton dernier sommeil ? — Toi qui ne vas pas à la messe, et qui ne tiens qu'à l'impôt, es-tu sûr que l'Éternité soit sourde, et qu'il n'y
65 ait pas un écho de la vie dans le séjour hideux des trépassés ?

Sais-tu où vont les larmes des peuples, quand le vent les emporte ?

Le Duc. Tu as une jolie jambe.

La Marquise. Écoute-moi. Tu es étourdi, je le sais, mais
70 tu n'es pas méchant ; non, sur Dieu, tu ne l'es pas, tu ne peux pas l'être. Voyons, fais-toi violence — réfléchis un instant, un seul instant, à ce que je te dis. N'y a-t-il rien dans tout cela ? Suis-je décidément une folle ?

Le Duc. Tout cela me passe bien par la tête, mais qu'est-
75 ce que je fais donc de si mal ? Je vaux bien mes voisins ; je vaux, ma foi, mieux que le pape. Tu me fais penser aux Strozzi avec tous tes discours — et tu sais que je les déteste. Tu veux que je me révolte contre César — César est mon beau-père[1], ma chère amie. Tu te figures que les Florentins
80 ne m'aiment pas — je suis sûr qu'ils m'aiment, moi. Eh ! parbleu, quand tu aurais raison, de qui veux-tu que j'aie peur ?

La Marquise. Tu n'as pas peur de ton peuple — mais tu as peur de l'empereur. Tu as tué ou déshonoré des centaines
85 de citoyens, et tu crois avoir tout fait quand tu mets une cotte de mailles sous ton habit.

Le Duc. Paix ! point de ceci.

La Marquise. Ah ! je m'emporte ; je dis ce que je ne veux pas dire. Mon ami, qui ne sait pas que tu es brave ? Tu es
90 brave comme tu es beau. Ce que tu as fait de mal, c'est ta jeunesse, c'est ta tête — que sais-je, moi ? c'est le sang qui coule violemment dans ces veines brûlantes, c'est ce soleil étouffant qui nous pèse. — Je t'en supplie, que je ne sois pas

---

1. *Mon beau-père :* Charles Quint avait donné à Alexandre sa fille naturelle, Marguerite d'Autriche.

perdue sans ressource ; que mon nom, que mon pauvre amour
95 pour toi ne soit pas inscrit sur une liste infâme. Je suis une
femme, c'est vrai, et si la beauté est tout pour les femmes,
bien d'autres valent mieux que moi. Mais n'as-tu rien, dis-
moi — dis-moi donc, toi ! voyons ! n'as-tu donc rien, rien
là ?

Elle lui frappe le cœur.

100 LE DUC.   Quel démon ! Assieds-toi donc là, ma petite.

LA MARQUISE.   Eh bien ! oui, je veux bien l'avouer, oui, j'ai
de l'ambition, non pas pour moi — mais toi ! toi, et ma
chère Florence ! — Ô Dieu ! tu m'es témoin de ce que je
souffre !

105 LE DUC.   Tu souffres ? qu'est-ce que tu as ?

LA MARQUISE.   Non, je ne souffre pas. Écoute ! écoute ! Je
vois que tu t'ennuies auprès de moi. Tu comptes les moments,
tu détournes la tête — ne t'en va pas encore — c'est peut-
être la dernière fois que je te vois. Écoute ! je te dis que
110 Florence t'appelle sa peste nouvelle, et qu'il n'y a pas une
chaumière où ton portrait ne soit collé sur les murailles, avec
un coup de couteau dans le cœur. Que je sois folle, que tu
me haïsses demain, que m'importe ? tu sauras cela.

LE DUC.   Malheur à toi, si tu joues avec ma colère !

115 LA MARQUISE.   Oui, malheur à moi ! malheur à moi !

LE DUC.   Une autre fois — demain matin, si tu veux — nous
pourrons nous revoir, et parler de cela. Ne te fâche pas, si je
te quitte à présent ; il faut que j'aille à la chasse.

LA MARQUISE.   Oui, malheur à moi ! malheur à moi !

120 LE DUC.   Pourquoi ? Tu as l'air sombre comme l'enfer.
Pourquoi diable aussi te mêles-tu de politique ? Allons, allons,
ton petit rôle de femme, et de vraie femme, te va si bien.
Tu es trop dévote ; cela se formera. Aide-moi donc à remettre
mon habit ; je suis tout débraillé.

125 La Marquise.   Adieu, Alexandre.
Le duc l'embrasse. — Entre le cardinal.

Le Cardinal.   Ah ! — Pardon, Altesse, je croyais ma sœur toute seule. Je suis un maladroit ; c'est à moi d'en porter la peine. Je vous supplie de m'excuser.

Le Duc.   Comment l'entendez-vous ? Allons donc, Malaspina,
130 voilà qui sent le prêtre. Est-ce que vous devez voir ces choses-là ? Venez donc, venez donc ; que diable est-ce que cela vous fait ?
Ils sortent ensemble.

La Marquise, *seule, tenant le portrait de son mari.*   Où es-tu maintenant, Laurent ? Il est midi passé. Tu te promènes sur
135 la terrasse, devant les grands marronniers. Autour de toi paissent tes génisses grasses ; tes garçons de ferme dînent à l'ombre. La pelouse soulève son manteau blanchâtre aux rayons du soleil ; les arbres, entretenus par tes soins, murmurent religieusement sur la tête blanche de leur vieux maître, tandis
140 que l'écho de nos longues arcades répète avec respect le bruit de ton pas tranquille. Ô mon Laurent ! j'ai perdu le trésor de ton honneur, j'ai voué au ridicule et au doute les dernières années de ta noble vie. Tu ne presseras plus sur ta cuirasse un cœur digne du tien ; ce sera une main tremblante qui
145 t'apportera ton repas du soir quand tu rentreras de la chasse.

SCÈNE 7.

Chez les Strozzi.

LES QUARANTE STROZZI, *à souper.*

PHILIPPE.   Mes enfants, mettons-nous à table.

LES CONVIVES.   Pourquoi reste-t-il deux sièges vides ?

PHILIPPE.   Pierre et Thomas sont en prison.

LES CONVIVES.   Pourquoi ?

5 PHILIPPE.   Parce que Salviati a insulté ma fille, que voilà, à la foire de Montolivet, publiquement, et devant son frère Léon. Pierre et Thomas ont tué Salviati, et Alexandre de Médicis les a fait arrêter pour venger la mort de son ruffian[1].

LES CONVIVES.   Meurent les Médicis !

10 PHILIPPE.   J'ai rassemblé ma famille pour lui raconter mes chagrins, et la prier de me secourir. Soupons, et sortons ensuite l'épée à la main, pour redemander mes deux fils, si vous avez du cœur.

LES CONVIVES.   C'est dit ; nous voulons bien.

15 PHILIPPE.   Il est temps que cela finisse, voyez-vous ! On nous tuerait nos enfants et on déshonorerait nos filles. Il est temps que Florence apprenne à ces bâtards ce que c'est que le droit de vie et de mort. Les Huit n'ont pas le droit de condamner mes enfants ; et moi, je n'y survivrais pas.

20 LES CONVIVES.   N'aie pas peur, Philippe, nous sommes là.

PHILIPPE.   Je suis le chef de la famille ; comment souffrirais-

---

1. *La mort de son ruffian :* Philippe sait pourtant (III, 2) que Salviati n'a été que blessé.

je qu'on m'insultât ? Nous sommes tout autant que les
Médicis, les Ruccellaï tout autant, les Aldobrandini et vingt
autres. Pourquoi ceux-là pourraient-ils faire égorger nos enfants
25 plutôt que nous les leurs ? Qu'on allume un tonneau de
poudre dans les caves de la citadelle, et voilà la garnison
allemande en déroute. Que reste-t-il à ces Médicis ? Là est
leur force ; hors de là, ils ne sont rien. Sommes-nous des
hommes ? Est-ce à dire qu'on abattra d'un coup de hache les
30 nobles familles de Florence, et qu'on arrachera de la terre
natale des racines aussi vieilles qu'elle ? C'est par nous qu'on
commence, c'est à nous de tenir ferme. Notre premier cri
d'alarme, comme le coup de sifflet de l'oiseleur, va rabattre
sur Florence une armée tout entière d'aigles chassés du nid.
35 Ils ne sont pas loin ; ils tournoient autour de la ville, les yeux
fixés sur ses clochers. Nous y planterons le drapeau noir de
la peste[1] ; ils accourront à ce signal de mort. Ce sont les
couleurs de la colère céleste. Ce soir, allons d'abord délivrer
nos fils ; demain nous irons tous ensemble, l'épée nue, à la
40 porte de toutes les grandes familles. Il y a à Florence quatre-
vingts palais, et de chacun d'eux sortira une troupe pareille à
la nôtre, quand la Liberté y frappera.

LES CONVIVES. Vive la liberté !

PHILIPPE. Je prends Dieu à témoin que c'est la violence qui
45 me force à tirer l'épée, que je suis resté durant soixante ans
bon et paisible citoyen, que je n'ai jamais fait de mal à qui
que ce soit au monde, et que la moitié de ma fortune a été
employée à secourir les malheureux.

LES CONVIVES. C'est vrai.

50 PHILIPPE. C'est une juste vengeance qui me pousse à la
révolte, et je me fais rebelle parce que Dieu m'a fait père. Je

---

1. *La peste* : Florence avait connu une terrible épidémie en 1348.

ne suis poussé par aucun motif d'ambition, ni d'intérêt, ni d'orgueil. Ma cause est loyale, honorable et sacrée. Emplissez vos coupes et levez-vous. Notre vengeance est une hostie que
55 nous pouvons briser sans crainte, et partager devant Dieu. Je bois à la mort des Médicis !

LES CONVIVES *se lèvent et boivent.* À la mort des Médicis !

LOUISE*, posant son verre.* Ah ! je vais mourir.

PHILIPPE. Qu'as-tu, ma fille, mon enfant bien-aimée ? qu'as-
60 tu, mon Dieu ! que t'arrive-t-il ? Mon Dieu, mon Dieu, comme tu pâlis ! Parle, qu'as-tu ? parle à ton père. Au secours ! au secours ! Un médecin ! Vite, vite, il n'est plus temps.

LOUISE. Je vais mourir, je vais mourir.
Elle meurt.

PHILIPPE. Elle s'en va, mes amis, elle s'en va ! Un médecin !
65 ma fille est empoisonnée !
Il tombe à genoux près de Louise.

UN CONVIVE. Coupez son corset ! faites-lui boire de l'eau tiède ; si c'est du poison, il faut de l'eau tiède.
Les domestiques accourent.

UN AUTRE CONVIVE. Frappez-lui dans les mains, ouvrez les fenêtres, et frappez-lui dans les mains.

70 UN AUTRE. Ce n'est peut-être qu'un étourdissement ; elle aura bu avec trop de précipitation.

UN AUTRE. Pauvre enfant ! comme ses traits sont calmes ! Elle ne peut pas être morte ainsi tout d'un coup.

PHILIPPE. Mon enfant ! es-tu morte, es-tu morte, Louise, ma
75 fille bien-aimée ?

LE PREMIER CONVIVE. Voilà le médecin qui accourt.
Un médecin entre.

LE SECOND CONVIVE. Dépêchez-vous, monsieur ; dites-nous si c'est du poison.

PHILIPPE. C'est un étourdissement, n'est-ce pas ?

80 LE MÉDECIN.   Pauvre jeune fille ! elle est morte.

Un profond silence règne dans la salle ; Philippe est toujours à genoux auprès de Louise et lui tient les mains.

UN DES CONVIVES.   C'est du poison des Médicis. Ne laissons pas Philippe dans l'état où il est. Cette immobilité est effrayante.

UN AUTRE.   Je suis sûr de ne pas me tromper. Il y avait
85 autour de la table un domestique qui a appartenu à la femme de Salviati.

UN AUTRE.   C'est lui qui a fait le coup, sans aucun doute. Sortons, et arrêtons-le.

Ils sortent.

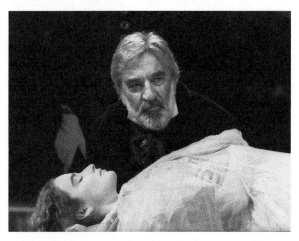

Philippe Strozzi (Georges Géret) près du corps de Louise.
Mise en scène de Francis Huster.
Théâtre du Rond-Point, 1989.

151

Le premier Convive.   Philippe ne veut pas répondre à ce
90 qu'on lui dit ; il est frappé de la foudre.

Un Autre.   C'est horrible ! C'est un meurtre inouï !

Un Autre.   Cela crie vengeance au ciel ! Sortons, et allons
égorger Alexandre.

Un Autre.   Oui, sortons ; mort à Alexandre ! C'est lui qui
95 a tout ordonné. Insensés que nous sommes ! ce n'est pas
d'hier que date sa haine contre nous. Nous agissons trop
tard.

Un Autre.   Salviati n'en voulait pas à cette pauvre Louise
pour son propre compte ; c'est pour le duc qu'il travaillait.
100 Allons, partons, quand on devrait nous tuer jusqu'au dernier.

Philippe *se lève*.   Mes amis, vous enterrerez ma pauvre fille,
n'est-ce pas ? *(Il met son manteau.)* dans mon jardin, derrière
les figuiers. Adieu, mes bons amis ; adieu, portez-vous bien.

Un Convive.   Où vas-tu, Philippe ?

105 Philippe.   J'en ai assez, voyez-vous ; j'en ai autant que j'en
puis porter. J'ai mes deux fils en prison, et voilà ma fille
morte. J'en ai assez, je m'en vais d'ici.

Un Convive.   Tu t'en vas ? tu t'en vas sans vengeance ?

Philippe.   Oui, oui. Ensevelissez seulement ma pauvre fille,
110 mais ne l'enterrez pas, c'est à moi de l'enterrer. Je le ferai à
ma façon, chez de pauvres moines que je connais, et qui
viendront la chercher demain. À quoi sert-il de la regarder ?
Elle est morte ; ainsi cela est inutile. Adieu, mes amis, rentrez
chez vous, portez-vous bien.

115 Un Convive.   Ne le laissez pas sortir, il a perdu la raison.

Un Autre.   Quelle horreur ! je me sens prêt à m'évanouir
dans cette salle.

Il sort.

Philippe.   Ne me faites pas violence, ne m'enfermez pas
dans une chambre où est le cadavre de ma fille — laissez-
120 moi m'en aller.

Un Convive. Venge-toi, Philippe, laisse-nous te venger. Que ta Louise soit notre Lucrèce[1] ! Nous ferons boire à Alexandre le reste de son verre.

Un Autre. La nouvelle Lucrèce ! Nous allons jurer sur son
125 corps de mourir pour la liberté ! Rentre chez toi, Philippe, pense à ton pays ; ne rétracte pas tes paroles.

Philippe. Liberté, vengeance, voyez-vous, tout cela est beau. J'ai deux fils en prison, et voilà ma fille morte. Si je reste ici, tout va mourir autour de moi ; l'important, c'est que je m'en
130 aille, et que vous vous teniez tranquilles. Quand ma porte et mes fenêtres seront fermées, on ne pensera plus aux Strozzi ; si elles restent ouvertes, je m'en vais vous voir tomber tous les uns après les autres. Je suis vieux, voyez-vous, il est temps que je ferme ma boutique. Adieu, mes amis, restez tranquilles ;
135 si je n'y suis plus, on ne vous fera rien. Je m'en vais de ce pas à Venise.

Un Convive. Il fait un orage épouvantable ; reste ici cette nuit.

Philippe. N'enterrez pas ma pauvre enfant ; mes vieux
140 moines viendront demain, et ils l'emporteront. Dieu de justice ! Dieu de justice ! que t'ai-je fait ?
Il sort en courant.

---

1. Voir note 1 p. 91.

Sur l'ensemble de l'acte III

L'INTRIGUE STROZZI

1. Incohérences et pusillanimités de Philippe : par quoi le personnage reste-t-il sympathique ?

2. La médiocrité grandiloquente de Philippe n'est pas sans rapport avec celle des républicains de 1830 : quels éléments du texte le suggèrent ?

3. Pierre représente-t-il un espoir d'action ? Pourquoi ?

4. Comparer la scène 7 avec d'autres scènes de conjuration et de meurtre (dans le théâtre romantique ou ailleurs).

L'INTRIGUE CIBO

5. Comment Musset fait-il sentir qu'il y a chez la marquise à la fois entraînement de l'imagination, du cœur et des sens, et finalement plus d'ambition (au sens noble du terme) politique que de désir amoureux ?

6. À quelle forme de gouvernement la marquise songe-t-elle ? Quelle part d'illusion apparaît dans ce projet politique ? Que représente, par contraste, le duc ?

7. Comparez le rôle de la nature à la fin de la scène 6 à ce qu'elle évoque pour Lorenzo ou pour d'autres personnages.

L'INTRIGUE LORENZO

8. Relevez les rappels constants de l'organisation du futur meurtre, même lorsque Lorenzo est absent de la scène.

Acte IV

SCÈNE PREMIÈRE.

Au palais du duc.

Entrent LE DUC *et* LORENZO.

LE DUC. J'aurais voulu être là ; il devait y avoir plus d'une face en colère. Mais je ne conçois pas qui a pu empoisonner cette Louise.

LORENZO. Ni moi non plus, à moins que ce ne soit vous.

5 LE DUC. Philippe doit être furieux[1] ! On dit qu'il est parti pour Venise. Dieu merci, me voilà délivré de ce vieillard insupportable. Quant à la chère famille, elle aura la bonté de se tenir tranquille. Sais-tu qu'ils ont failli faire une petite révolution dans leur quartier ? On m'a tué deux Allemands.

10 LORENZO. Ce qui me fâche le plus, c'est que cet honnête Salviati a une jambe coupée. Avez-vous retrouvé votre cotte de mailles ?

LE DUC. Non, en vérité ; j'en suis plus mécontent que je ne puis le dire.

15 LORENZO. Méfiez-vous de Giomo ; c'est lui qui vous l'a volée. Que portez-vous à la place ?

LE DUC. Rien. Je ne puis en supporter une autre ; il n'y en a pas d'aussi légère que celle-là.

---

1. *Furieux :* rendu fou par la douleur (sens classique).

LORENZO.   Cela est fâcheux pour vous.

20 LE DUC.   Tu ne me parles pas de ta tante.

LORENZO.   C'est par oubli, car elle vous adore ; ses yeux ont perdu le repos depuis que l'astre de votre amour s'est levé dans son pauvre cœur. De grâce, seigneur, ayez quelque pitié pour elle ; dites quand vous voulez la recevoir, et à
25 quelle heure il lui sera loisible de vous sacrifier le peu de vertu qu'elle a.

LE DUC.   Parles-tu sérieusement ?

LORENZO.   Aussi sérieusement que la Mort elle-même. Je voudrais voir qu'une tante à moi ne couchât pas avec vous.

30 LE DUC.   Où pourrais-je la voir ?

LORENZO.   Dans ma chambre, seigneur. Je ferai mettre des rideaux blancs à mon lit et un pot de réséda sur ma table ; après quoi je coucherai par écrit sur votre calepin que ma tante sera en chemise à minuit précis, afin que vous ne
35 l'oubliiez pas après souper.

LE DUC.   Je n'ai garde. Peste ! Catherine est un morceau de roi. Eh ! dis-moi, habile garçon, tu es vraiment sûr qu'elle viendra ? Comment t'y es-tu pris ?

LORENZO.   Je vous dirai cela.

40 LE DUC.   Je m'en vais voir un cheval que je viens d'acheter ; adieu et à ce soir. Viens me prendre après souper ; nous irons ensemble à ta maison. Quant à la Cibo, j'en ai par-dessus les oreilles ; hier encore, il a fallu l'avoir sur le dos pendant toute la chasse[1]. Bonsoir, mignon.
Il sort.

---

1. *Hier ... chasse :* en contradiction avec la scène 6 de l'acte III où Alexandre abandonnait la marquise pour aller à la chasse.

45 LORENZO, *seul*. Ainsi c'est convenu. Ce soir je l'emmène chez moi, et demain les républicains verront ce qu'ils ont à faire, car le duc de Florence sera mort. Il faut que j'avertisse Scoronconcolo. Dépêche-toi, soleil, si tu es curieux des nouvelles que cette nuit te dira demain.
Il sort.

SCÈNE 2.

Une rue.

PIERRE et THOMAS STROZZI, *sortant de prison.*

PIERRE.   J'étais bien sûr que les Huit me renverraient absous ; et toi aussi. Viens, frappons à notre porte, et allons embrasser notre père. Cela est singulier, les volets sont fermés !

LE PORTIER, *ouvrant*. Hélas ! seigneur, vous savez les
5 nouvelles.

PIERRE.   Quelles nouvelles ? tu as l'air d'un spectre qui sort d'un tombeau, à la porte de ce palais désert.

LE PORTIER.   Est-il possible que vous ne sachiez rien ?
Deux moines arrivent.

THOMAS.   Et que pourrions-nous savoir ? Nous sortons de
10 prison. Parle, qu'est-il arrivé ?

LE PORTIER.   Hélas ! mes pauvres seigneurs ! cela est horrible à dire.

LES MOINES, *s'approchant*.   Est-ce ici le palais des Strozzi ?

LE PORTIER.   Oui ; que demandez-vous ?

15 LES MOINES. Nous venons chercher le corps de Louise Strozzi. Voilà l'autorisation de Philippe, afin que vous nous laissiez l'emporter.

PIERRE. Comment dites-vous ? Quel corps demandez-vous ?

LES MOINES. Éloignez-vous, mon enfant, vous portez sur
20 votre visage la ressemblance de Philippe ; il n'y a rien de bon à apprendre ici pour vous.

THOMAS. Comment ? elle est morte ? morte ? ô Dieu du ciel !

Il s'assoit à l'écart.

PIERRE. Je suis plus ferme que vous ne pensez. Qui a tué
25 ma sœur ? car on ne meurt pas à son âge dans l'espace d'une nuit, sans une cause extraordinaire. Qui l'a tuée, que je le tue ? Répondez-moi, ou vous êtes mort vous-même.

LE PORTIER. Hélas ! hélas ! qui peut le dire ? Personne n'en sait rien.

30 PIERRE. Où est mon père ? Viens, Thomas, point de larmes. Par le ciel ! mon cœur se serre comme s'il allait s'ossifier dans mes entrailles, et rester un rocher pour l'éternité.

LES MOINES. Si vous êtes le fils de Philippe, venez avec nous. Nous vous conduirons à lui ; il est depuis hier à notre
35 couvent.

PIERRE. Et je ne saurai pas qui a tué ma sœur ? Écoutez-moi, prêtres ; si vous êtes l'image de Dieu, vous pouvez recevoir un serment. Par tout ce qu'il y a d'instruments de supplice sous le ciel, par les tortures de l'enfer... Non, je ne
40 veux pas dire un mot. Dépêchons-nous, que je voie mon père. Ô Dieu ! ô Dieu ! faites que ce que je soupçonne soit la vérité, afin que je les broie sous mes pieds comme des grains de sable. Venez, venez, avant que je perde la force. Ne me dites pas un mot ; il s'agit là d'une vengeance, voyez-vous,
45 telle que la colère céleste n'en a pas rêvé.

Ils sortent.

SCÈNE 3.

Une rue.

LORENZO, SCORONCONCOLO.

LORENZO.   Rentre chez toi, et ne manque pas de venir à minuit ; tu t'enfermeras dans mon cabinet jusqu'à ce qu'on vienne t'avertir.

SCORONCONCOLO.   Oui, monseigneur.
Il sort.

5 LORENZO, *seul.*   De quel tigre a rêvé ma mère enceinte de moi ? Quand je pense que j'ai aimé les fleurs, les prairies et les sonnets de Pétrarque[1], le spectre de ma jeunesse se lève devant moi en frissonnant. Ô Dieu ! pourquoi ce seul mot : « À ce soir », fait-il pénétrer jusque dans mes os cette joie
10 brûlante comme un fer rouge ? De quelles entrailles fauves, de quels velus embrassements suis-je donc sorti ? Que m'avait fait cet homme ? Quand je pose ma main là, sur mon cœur, et que je réfléchis, — qui donc m'entendra dire demain : « Je l'ai tué », sans me répondre : « Pourquoi l'as-tu tué ? » Cela
15 est étrange. Il a fait du mal aux autres, mais il m'a fait du bien, du moins à sa manière. Si j'étais resté tranquille au fond de mes solitudes de Cafaggiuolo[2], il ne serait pas venu m'y chercher, et moi je suis venu le chercher à Florence. Pourquoi cela ? Le spectre de mon père me conduisait-il,

---

1. *Pétrarque :* poète et humaniste italien (1304-1374). Ses sonnets exaltent la beauté physique et spirituelle de la femme aimée (Laure), évoquée au sein d'une nature harmonieuse.
2. *Cafaggiuolo :* domaine campagnard où Lorenzo a passé son enfance.

20 comme Oreste, vers un nouvel Égisthe[1] ? M'avait-il offensé
alors ? Cela est étrange, et cependant pour cette action j'ai
tout quitté. La seule pensée de ce meurtre a fait tomber en
poussière les rêves de ma vie ; je n'ai plus été qu'une ruine,
dès que ce meurtre, comme un corbeau sinistre, s'est posé
25 sur ma route et m'a appelé à lui. Que veut dire cela ? Tout
à l'heure, en passant sur la place, j'ai entendu deux hommes
parler d'une comète[2]. Sont-ce bien les battements d'un cœur
humain que je sens là, sous les os de ma poitrine ? Ah !
pourquoi cette idée me vient-elle si souvent depuis quelque
30 temps — suis-je le bras de Dieu ? Y a-t-il une nuée au-dessus
de ma tête[3] ? Quand j'entrerai dans cette chambre, et que je
voudrai tirer mon épée du fourreau, j'ai peur de tirer l'épée
flamboyante de l'archange, et de tomber en cendres sur ma
proie.
Il sort.

---

1. Oreste, personnage de la tragédie grecque, tua sa mère Clytemnestre
et son amant Égisthe, pour venger son père Agamemnon qu'ils avaient
assassiné.à son retour de la guerre de Troie. Lorenzo n'a aucun motif
de vengeance envers Alexandre.
2. *Comète :* on croyait depuis l'Antiquité que les comètes étaient
annonciatrices de désastres.
3. Souvenir de la Bible (Exode, XIII, 21) : une colonne de nuée dirigea
les Hébreux dans leur fuite.

SCÈNE 4.

Chez le marquis Cibo.

Entrent LE CARDINAL *et* LA MARQUISE.

LA MARQUISE.   Comme vous voudrez, Malaspina.

LE CARDINAL.   Oui, comme je voudrai. Pensez-y à deux fois, marquise, avant de vous jouer à moi[1]. Êtes-vous une femme comme les autres, et faut-il qu'on ait une chaîne d'or au cou
5 et un mandat à la main, pour que vous compreniez qui on est ? Attendez-vous qu'un valet crie à tue-tête en ouvrant une porte devant moi, pour savoir quelle est ma puissance ? Apprenez-le : ce ne sont pas les titres qui font l'homme — je ne suis ni envoyé du pape, ni capitaine de Charles Quint —
10 je suis plus que cela.

LA MARQUISE.   Oui, je le sais. César a vendu son ombre au diable ; cette ombre impériale se promène, affublée d'une robe rouge, sous le nom de Cibo.

LE CARDINAL.   Vous êtes la maîtresse d'Alexandre, songez
15 à cela ; et votre secret est entre mes mains.

LA MARQUISE.   Faites-en ce qu'il vous plaira ; nous verrons l'usage qu'un confesseur sait faire de sa conscience.

LE CARDINAL.   Vous vous trompez ; ce n'est pas par votre confession que je l'ai appris. Je l'ai vu de mes propres yeux,
20 je vous ai vue embrasser le duc. Vous me l'auriez avoué au confessionnal que je pourrais encore en parler sans péché, puisque je l'ai vu hors du confessionnal.

LA MARQUISE.   Eh bien, après ?

---

1. *Vous jouer à moi :* entrer en conflit avec moi, m'affronter.

LE CARDINAL.   Pourquoi le duc vous quittait-il d'un pas si
25 nonchalant, et en soupirant comme un écolier quand la cloche
sonne ? Vous l'aviez rassasié de votre patriotisme, qui, comme
une fade boisson, se mêle à tous les mets de votre table.
Quels livres avez-vous lus, et quelle sotte duègne[1] était donc
votre gouvernante, pour que vous ne sachiez pas que la
30 maîtresse d'un roi parle ordinairement d'autre chose que de
patriotisme ?

LA MARQUISE.   J'avoue que l'on ne m'a jamais appris bien
nettement de quoi devait parler la maîtresse d'un roi ; j'ai
négligé de m'instruire sur ce point, comme aussi, peut-être,
35 de manger du riz pour m'engraisser, à la mode turque.

LE CARDINAL.   Il ne faut pas une grande science pour garder
un amant un peu plus de trois jours.

LA MARQUISE.   Qu'un prêtre eût appris cette science à une
femme, cela eût été fort simple. Que ne m'avez-vous conseillée ?

40 LE CARDINAL.   Voulez-vous que je vous conseille ? Prenez
votre manteau, et allez vous glisser dans l'alcôve du duc. S'il
s'attend à des phrases en vous voyant, prouvez-lui que vous
savez n'en pas faire à toutes les heures ; soyez pareille à une
somnambule, et faites en sorte que s'il s'endort sur ce cœur
45 républicain, ce ne soit pas d'ennui. Êtes-vous vierge ? n'y a-
t-il plus de vin de Chypre ! n'avez-vous pas au fond de la
mémoire quelque joyeuse chanson ? n'avez-vous pas lu
l'Arétin[2] ?

LA MARQUISE.   Ô ciel ! j'ai entendu murmurer des mots

---

1. *Duègne :* femme âgée chargée de veiller sur la conduite d'une
jeune fille (mot espagnol).
2. *L'Arétin :* protégé des Médicis et de Clément VII, il se montra un
satiriste impitoyable des hypocrisies de son temps, en des comédies,
poésies, dialogues pleins d'une verve souvent fort licencieuse (1492-
1556).

50 comme ceux-là à de hideuses vieilles qui grelottent sur le Marché-Neuf. Si vous n'êtes pas un prêtre, êtes-vous un homme ? êtes-vous sûr que le ciel est vide, pour faire ainsi rougir votre pourpre elle-même ?

LE CARDINAL. Il n'y a rien de si vertueux que l'oreille
55 d'une femme dépravée. Feignez ou non de me comprendre, mais souvenez-vous que mon frère est votre mari.

LA MARQUISE. Quel intérêt vous avez à me torturer ainsi, voilà ce que je ne puis comprendre que vaguement. Vous me faites horreur — que voulez-vous de moi ?

60 LE CARDINAL. Il y a des secrets qu'une femme ne doit pas savoir, mais qu'elle peut faire prospérer en en sachant les éléments.

LA MARQUISE. Quel fil mystérieux de vos sombres pensées voudriez-vous me faire tenir ? Si vos désirs sont aussi effrayants
65 que vos menaces, parlez ; montrez-moi du moins le cheveu qui suspend l'épée sur ma tête[1].

LE CARDINAL. Je ne puis parler qu'en termes couverts, par la raison que je ne suis pas sûr de vous. Qu'il vous suffise de savoir que, si vous eussiez été une autre femme, vous
70 seriez une reine à l'heure qu'il est. Puisque vous m'appelez l'ombre de César, vous auriez vu qu'elle est assez grande pour intercepter le soleil de Florence. Savez-vous où peut conduire un sourire féminin ? Savez-vous où vont les fortunes dont les racines poussent dans les alcôves ? Alexandre est fils
75 du pape, apprenez-le ; et quand le pape était à Bologne... Mais je me laisse entraîner trop loin.

---

1. *L'épée sur ma tête* : allusion à l'épée, suspendue à un crin de cheval, qui menaçait Damoclès. (Celui-ci s'était montré envieux des plaisirs du tyran de Syracuse ; le tyran les lui avait fait goûter, mais avec une épée suspendue au-dessus de la tête, pour lui montrer que la vie d'un tyran est toujours menacée.)

La Marquise. Prenez garde de vous confesser à votre tour. Si vous êtes le frère de mon mari, je suis la maîtresse d'Alexandre.

80 Le Cardinal. Vous l'avez été, marquise, et bien d'autres aussi.

La Marquise. Je l'ai été — oui, Dieu merci, je l'ai été !

Le Cardinal. J'étais sûr que vous commenceriez par vos rêves ; il faudra cependant que vous en veniez quelque jour
85 aux miens. Écoutez-moi, nous nous querellons assez mal à propos ; mais en vérité, vous prenez tout au sérieux. Réconciliez-vous avec Alexandre, et puisque je vous ai blessée tout à l'heure en vous disant comment, je n'ai que faire de le répéter. Laissez-vous conduire ; dans un an, dans deux ans, vous me
90 remercierez. J'ai travaillé longtemps pour être ce que je suis, et je sais où l'on peut aller. Si j'étais sûr de vous, je vous dirais des choses que Dieu lui-même ne saura jamais.

La Marquise. N'espérez rien, et soyez assuré de mon mépris.

Elle veut sortir.

95 Le Cardinal. Un instant ! Pas si vite ! N'entendez-vous pas le bruit d'un cheval ? Mon frère ne doit-il pas venir aujourd'hui ou demain ? Me connaissez-vous pour un homme qui a deux paroles ? Allez au palais ce soir, ou vous êtes perdue.

100 La Marquise. Mais enfin, que vous soyez ambitieux, que tous les moyens vous soient bons, je le conçois ; mais parlerez-vous plus clairement ? Voyons, Malaspina, je ne veux pas désespérer tout à fait de ma perversion. Si vous pouvez me convaincre, faites-le — parlez-moi franchement. Quel est votre
105 but ?

Le Cardinal. Vous ne désespérez pas de vous laisser convaincre, n'est-il pas vrai ? Me prenez-vous pour un enfant, et croyez-vous qu'il suffise de me frotter les lèvres de miel pour me les desserrer ? Agissez d'abord, je parlerai après. Le

110 jour où, comme femme, vous aurez pris l'empire nécessaire, non pas sur l'esprit d'Alexandre, duc de Florence, mais sur le cœur d'Alexandre, votre amant, je vous apprendrai le reste, et vous saurez ce que j'attends.

LA MARQUISE. Ainsi donc, quand j'aurai lu l'Arétin pour
115 me donner une première expérience, j'aurai à lire, pour en acquérir une seconde, le livre secret de vos pensées ? Voulez-vous que je vous dise, moi, ce que vous n'osez pas me dire ? Vous servez le pape, jusqu'à ce que l'empereur trouve que vous êtes meilleur valet que le pape lui-même. Vous espérez
120 qu'un jour César vous devra bien réellement, bien complètement, l'esclavage de l'Italie, et ce jour-là — oh ! ce jour-là, n'est-il pas vrai, celui qui est le roi de la moitié du monde pourrait bien vous donner en récompense le chétif héritage des cieux. Pour gouverner Florence en gouvernant le
125 duc, vous vous feriez femme tout à l'heure, si vous pouviez. Quand la pauvre Ricciarda Cibo aura fait faire deux ou trois coups d'État à Alexandre, on aura bientôt ajouté que Ricciarda Cibo mène le duc, mais qu'elle est menée par son beau-frère ; et, comme vous dites, qui sait jusqu'où les larmes des peuples,
130 devenues un océan, pourraient lancer votre barque ? Est-ce à peu près cela ? Mon imagination ne peut aller aussi loin que la vôtre, sans doute ; mais je crois que c'est à peu près cela.

LE CARDINAL. Allez ce soir chez le duc, ou vous êtes perdue.

135 LA MARQUISE. Perdue ? et comment ?

LE CARDINAL. Ton mari saura tout !

LA MARQUISE. Faites-le, faites-le, je me tuerai.

LE CARDINAL. Menace de femme ! Écoutez-moi. Que vous m'ayez compris bien ou mal, allez ce soir chez le duc.

140 LA MARQUISE. Non. .

LE CARDINAL. Voilà votre mari qui entre dans la cour. Par tout ce qu'il y a de sacré au monde, je lui raconte tout, si vous dites « non » encore une fois.

165

LA MARQUISE.   Non, non, non ! *(Entre le marquis.)* Laurent,
145 pendant que vous étiez à Massa, je me suis livrée à Alexandre,
je me suis livrée, sachant qui il était, et quel rôle misérable
j'allais jouer. Mais voilà un prêtre qui veut m'en faire jouer
un plus vil encore ; il me propose des horreurs pour m'assurer
le titre de maîtresse du duc, et le tourner à son profit.
Elle se jette à genoux.

150 LE MARQUIS.   Êtes-vous folle ?   Que veut-elle dire,
Malaspina ? — Eh bien ! vous voilà comme une statue. Ceci
est-il une comédie, cardinal ? Eh bien donc ! que faut-il que
j'en pense ?

LE CARDINAL.   Ah ! corps du Christ !
Il sort.

155 LE MARQUIS.   Elle est évanouie. Holà ! qu'on apporte du
vinaigre !

Acte IV Scène 4

LA FIN D'UNE INTRIGUE

1. Montrez que cette scène est la lutte de deux volontés usant de tous les moyens du langage (ironie, agressivité, mépris, chantage, concession, menace) pour se dominer l'une l'autre. Analysez comment elle redouble et conclut la scène 3 de l'acte I.

2. Pourquoi le cardinal a-t-il à ce point besoin de la marquise ? Pourquoi cette dernière espère-t-elle encore, d'une certaine manière, être convaincue de rester la maîtresse du duc ?

3. Montrez que la marquise est une sorte de Lorenzo qui, au dernier moment, refuserait la débauche. À quoi la mène ce refus ?

4. Lequel des deux personnages l'emporte finalement, et par quel biais ? Quelles en sont les conséquences pour l'intrigue Cibo ? pour l'intrigue principale ?

UN PERSONNAGE EN « ROBE ROUGE »

5. Notez tout ce qui souligne la perversion, le cynisme et même l'impiété du cardinal.

6. Comment Musset fait-il sentir que ce personnage n'est lui-même qu'une sorte de pantin, et que le vrai pouvoir est ailleurs, en quelque sorte inaccessible (ce qui entraîne implicitement l'impossibilité de toute libération) ?

7. Ce personnage est fait à la fois d'histoire et de fiction : à quels hommes historiques peut-on songer ? à quels personnages théâtraux ou romanesques ?

UNE PIÈCE POLITIQUE

8. *Lorenzaccio* traite du rapport dialectique de l'individu à l'histoire. Montrez que le cardinal et la marquise ont tous deux choisi de participer au devenir historique, mais en fonction de systèmes de valeurs opposés. Le pouvoir occulte rêvé par le cardinal Cibo est exposé : relevez-en les composantes (vous relirez la scène 3 de l'acte II), notez les ressemblances avec le pouvoir exercé par Alexandre et étudiez ses contradictions avec celui rêvé par la marquise (relisez la scène 6 de l'acte III).

SCÈNE 5.

La chambre de Lorenzo.

LORENZO, DEUX DOMESTIQUES.

LORENZO.   Quand vous aurez placé ces fleurs sur la table et celles-ci au pied du lit, vous ferez un bon feu, mais de manière à ce que cette nuit la flamme ne flambe pas, et que les charbons échauffent sans éclairer. Vous me donnerez la
5 clef, et vous irez vous coucher.

Entre Catherine.

CATHERINE.   Notre mère est malade ; ne viens-tu pas la voir, Renzo ?

LORENZO.   Ma mère est malade ?

CATHERINE.   Hélas ! je ne puis te cacher la vérité. J'ai reçu
10 hier un billet du duc, dans lequel il me disait que tu avais dû me parler d'amour pour lui ; cette lecture a fait bien du mal à Marie.

LORENZO.   Cependant je ne t'avais pas parlé de cela. N'as-tu pas pu lui dire que je n'étais pour rien là-dedans ?

15 CATHERINE.   Je le lui ai dit. Pourquoi ta chambre est-elle aujourd'hui si belle et en si bon état ? Je ne croyais pas que l'esprit d'ordre fût ton majordome.

LORENZO.   Le duc t'a donc écrit ? Cela est singulier que je ne l'aie point su. Et, dis-moi, que penses-tu de sa lettre ?

20 CATHERINE.   Ce que j'en pense ?

LORENZO.   Oui, de la déclaration d'Alexandre. Qu'en pense ce petit cœur innocent ?

CATHERINE.   Que veux-tu que j'en pense ?

LORENZO.   N'as-tu pas été flattée ? un amour qui fait l'envie

25 de tant de femmes ! un titre si beau à conquérir, la maîtresse de... Va-t'en, Catherine, va dire à ma mère que je te suis. Sors d'ici. Laisse-moi ! *(Catherine sort.)* Par le ciel ! quel homme de cire suis-je donc ? Le vice, comme la robe de Déjanire[1], s'est-il si profondément incorporé à mes fibres, que je ne
30 puisse plus répondre de ma langue, et que l'air qui sort de mes lèvres se fasse ruffian malgré moi ? J'allais corrompre Catherine. — Je crois que je corromprais ma mère, si mon cerveau le prenait à tâche ; car Dieu sait quelle corde et quel arc les dieux ont tendus dans ma tête, et quelle force ont les
35 flèches qui en partent ! Si tous les hommes sont des parcelles d'un foyer immense, assurément l'être inconnu qui m'a pétri a laissé tomber un tison au lieu d'une étincelle, dans ce corps faible et chancelant. Je puis délibérer et choisir, mais non revenir sur mes pas quand j'ai choisi. Ô Dieu ! les jeunes
40 gens à la mode ne se font-ils pas une gloire d'être vicieux, et les enfants qui sortent du collège ont-ils quelque chose de plus pressé que de se pervertir ? Quelle bourbier doit donc être l'espèce humaine, qui se rue ainsi dans les tavernes avec des lèvres affamées de débauche, quand, moi, qui n'ai voulu
45 prendre qu'un masque pareil à leurs visages, et qui ai été aux mauvais lieux avec une résolution inébranlable de rester pur sous mes vêtements souillés, je ne puis ni me retrouver moi-même ni laver mes mains, même avec du sang ! Pauvre Catherine ! tu mourrais cependant comme Louise Strozzi, ou
50 tu te laisserais tomber comme tant d'autres dans l'éternel abîme, si je n'étais pas là. Ô Alexandre ! je ne suis pas dévot,

---

1. *Déjanire* : le centaure Nessus avait tenté de séduire Déjanire, la femme d'Hercule. Ce dernier l'avait mis à mort. Dans son agonie, Nessus avait remis à Déjanire une tunique empoisonnée, lui faisant croire qu'elle était imprégnée d'un philtre d'amour. Sentant Hercule lui échapper, Déjanire l'offrit à son mari qui, dévoré de douleurs insupportables, se suicida.

mais je voudrais, en vérité, que tu fisses ta prière avant de venir ce soir dans cette chambre. Catherine n'est-elle pas vertueuse, irréprochable ? Combien faudrait-il pourtant de
55 paroles, pour faire de cette colombe ignorante la proie de ce gladiateur aux poils roux ! Quand je pense que j'ai failli parler ! Que de filles maudites par leurs pères rôdent au coin des bornes, ou regardent leur tête rasée dans le miroir cassé d'une cellule, qui ont valu autant que Catherine, et qui ont
60 écouté un ruffian moins habile que moi ! Eh bien ! j'ai commis bien des crimes, et si ma vie est jamais dans la balance d'un juge quelconque, il y aura d'un côté une montagne de sanglots ; mais il y aura peut-être de l'autre une goutte de lait pur tombée du sein de Catherine, et qui aura nourri
65 d'honnêtes enfants.

Il sort.

SCÈNE 6.

Une vallée, un couvent dans le fond.

Entrent PHILIPPE STROZZI *et deux moines. Des novices portent le cercueil de Louise ; ils le posent dans un tombeau.*

PHILIPPE. Avant de la mettre dans son dernier lit, laissez-moi l'embrasser. Lorsqu'elle était couchée, c'est ainsi que je me penchais sur elle pour lui donner le baiser du soir. Ses yeux mélancoliques étaient ainsi fermés à demi, mais ils se
5 rouvraient au premier rayon du soleil, comme deux fleurs d'azur ; elle se levait doucement le sourire sur les lèvres, et elle venait rendre à son vieux père son baiser de la veille. Sa figure céleste rendait délicieux un moment bien triste, le réveil

d'un homme fatigué de la vie. Un jour de plus, pensais-je en
10 voyant l'aurore, un sillon de plus dans mon champ ! Mais
alors j'apercevais ma fille, la vie m'apparaissait sous la forme
de sa beauté, et la clarté du jour était la bienvenue.

On ferme le tombeau.

PIERRE STROZZI, *derrière la scène.* Par ici, venez par ici.

PHILIPPE. Tu ne te lèveras plus de ta couche ; tu ne poseras
15 pas tes pieds nus sur ce gazon pour revenir trouver ton père.
Ô ma Louise ! il n'y a que Dieu qui ait su qui tu étais, et
moi, moi, moi !

PIERRE, *entrant.* Ils sont cent à Sestino, qui arrivent du
Piémont. Venez, Philippe, le temps des larmes est passé.

20 PHILIPPE. Enfant, sais-tu ce que c'est que le temps des
larmes ?

PIERRE. Les bannis se sont rassemblés à Sestino ; il est temps
de penser à la vengeance. Marchons franchement sur Florence
avec notre petite armée. Si nous pouvons arriver à propos
25 pendant la nuit, et surprendre les postes de la citadelle, tout
est dit. Par le ciel ! j'élèverai à ma sœur un autre mausolée[1]
que celui-là.

PHILIPPE. Non pas moi ; allez sans moi, mes amis.

PIERRE. Nous ne pouvons nous passer de vous ; sachez-le,
30 les confédérés[2] comptent sur votre nom. François Ier lui-même
attend de vous un mouvement en faveur de la liberté. Il vous
écrit comme au chef des républicains florentins ; voilà sa
lettre.

PHILIPPE *ouvre la lettre.* Dis à celui qui t'a apporté cette lettre
35 qu'il réponde ceci au roi de France : « Le jour où Philippe
portera les armes contre son pays, il sera devenu fou. »

---

1. *Mausolée :* magnifique monument funéraire.
2. *Confédérés :* associés pour la défense d'intérêts communs.

PIERRE. Quelle est cette nouvelle sentence[1] ?

PHILIPPE. Celle qui me convient.

PIERRE. Ainsi vous perdez la cause des bannis, pour le plaisir
40 de faire une phrase ? Prenez garde, mon père, il ne s'agit pas
là d'un passage de Pline[2] ; réfléchissez avant de dire non.

PHILIPPE. Il y a soixante ans que je sais ce que je devais
répondre à la lettre du roi de France.

PIERRE. Cela passe toute idée ! vous me forceriez à vous
45 dire de certaines choses. — Venez avec nous, mon père, je
vous en supplie. Lorsque j'allais chez les Pazzi, ne m'avez-
vous pas dit : Emmène-moi ? — Cela était-il différent alors ?

PHILIPPE. Très différent. Un père offensé qui sort de sa
maison l'épée à la main, avec ses amis, pour aller réclamer
50 justice, est très différent d'un rebelle qui porte les armes
contre son pays, en rase campagne et au mépris des lois.

PIERRE. Il s'agissait bien de réclamer justice ! il s'agissait
d'assommer Alexandre. Qu'est-ce qu'il y a de changé
aujourd'hui ? Vous n'aimez pas votre pays, ou sans cela vous
55 profiteriez d'une occasion comme celle-ci.

PHILIPPE. Une occasion, mon Dieu ! Cela, une occasion !
Il frappe le tombeau.

PIERRE. Laissez-vous fléchir.

PHILIPPE. Je n'ai pas une douleur ambitieuse ; laisse-moi seul,
j'en ai assez dit.

60 PIERRE. Vieillard obstiné ! inexorable faiseur de sentences !
vous serez cause de notre perte.

PHILIPPE. Tais-toi, insolent ! sors d'ici !

---

1. *Sentence :* maxime, belle phrase.
2. *Pline :* Philippe s'était intéressé à Pline l'Ancien (23 - 79 après
J. - C.), auteur de nombreux traités, surtout connu pour son *Histoire
naturelle,* encyclopédie des connaissances de son temps.

PIERRE. Je ne puis dire ce qui se passe en moi. Allez où il vous plaira, nous agirons sans vous cette fois. Eh ! mort de
65 Dieu ! il ne sera pas dit que tout soit perdu faute d'un traducteur de latin !
Il sort.

PHILIPPE. Ton jour est venu, Philippe ! tout cela signifie que ton jour est venu.

SCÈNE 7.

Le bord de l'Arno ; un quai. On voit une longue suite de palais.

LORENZO, *entrant.* Voilà le soleil qui se couche ; je n'ai pas de temps à perdre, et cependant tout ressemble ici à du temps perdu. *(Il frappe à une porte.)* Holà ! seigneur Alamanno ! holà !

5 ALAMANNO, *sur sa terrasse.* Qui est là ? que me voulez-vous ?

LORENZO. Je viens vous avertir que le duc doit être tué cette nuit. Prenez vos mesures pour demain avec vos amis, si vous aimez la liberté.

10 ALAMANNO. Par qui doit être tué Alexandre ?

LORENZO. Par Lorenzo de Médicis.

ALAMANNO. C'est toi, Renzinaccio ? Eh ! entre donc souper avec de bons vivants qui sont dans mon salon.

LORENZO. Je n'ai pas le temps ; préparez-vous à agir demain.

15 ALAMANNO. Tu veux tuer le duc, toi ? Allons donc ! tu as un coup de vin dans la tête.
Il rentre chez lui.

LORENZO, *seul.* Peut-être que j'ai tort de leur dire que c'est moi qui tuerai Alexandre, car tout le monde refuse de me

croire. *(Il frappe à une autre porte.)* Holà ! seigneur Pazzi !
20 holà !

PAZZI, *sur sa terrasse.*   Qui m'appelle ?

LORENZO.   Je viens vous dire que le duc sera tué cette nuit.
Tâchez d'agir demain pour la liberté de Florence.

PAZZI.   Qui doit tuer le duc ?

25 LORENZO.   Peu importe, agissez toujours, vous et vos amis.
Je ne puis vous dire le nom de l'homme.

Les rives de l'Arno. Gravure sur bois du XVe siècle (détail), Berlin.

PAZZI. Tu es fou, drôle, va-t'en au diable !
Il rentre.

LORENZO, *seul.* Il est clair que si je ne dis pas que c'est moi, on me croira encore bien moins. *(Il frappe à une porte.)*
30 Holà ! seigneur Corsini !

LE PROVÉDITEUR, *sur sa terrasse.* Qu'est-ce donc ?

LORENZO. Le duc Alexandre sera tué cette nuit.

LE PROVÉDITEUR. Vraiment, Lorenzo ! Si tu es gris, va plaisanter ailleurs. Tu m'as blessé bien mal à propos un cheval,
35 au bal des Nasi ; que le diable te confonde !
Il rentre.

LORENZO. Pauvre Florence ! pauvre Florence !
Il sort.

SCÈNE 8.

Une plaine.

Entrent PIERRE STROZZI *et* DEUX BANNIS.

PIERRE. Mon père ne veut pas venir. Il m'a été impossible de lui faire entendre raison.

PREMIER BANNI. Je n'annoncerai pas cela à mes camarades. Il y a de quoi les mettre en déroute.

5 PIERRE. Pourquoi ? Montez à cheval ce soir, et allez bride abattue à Sestino ; j'y serai demain matin. Dites que Philippe a refusé, mais que Pierre ne refuse pas.

PREMIER BANNI. Les confédérés veulent le nom de Philippe ; nous ne ferons rien sans cela.

10 PIERRE. Le nom de famille de Philippe est le même que le mien. Dites que Strozzi viendra, cela suffit.

PREMIER BANNI.   On me demandera lequel des Strozzi, et si je ne réponds pas « Philippe », rien ne se fera.

PIERRE.   Imbécile ! Fais ce qu'on te dit, et ne réponds que
15 pour toi-même. Comment sais-tu d'avance que rien ne se fera ?

PREMIER BANNI.   Seigneur, il ne faut pas maltraiter les gens.

PIERRE.   Allons, monte à cheval, et va à Sestino.

PREMIER BANNI.   Ma foi, monsieur, mon cheval est fatigué ;
20 j'ai fait douze lieues[1] dans la nuit. Je n'ai pas envie de le seller à cette heure.

PIERRE.   Tu n'es qu'un sot. *(À l'autre banni.)* Allez-y, vous ; vous vous y prendrez mieux.

LE DEUXIÈME BANNI.   Le camarade n'a pas tort pour ce qui
25 regarde Philippe ; il est certain que son nom ferait bien pour la cause.

PIERRE.   Lâches ! Manants sans cœur ! Ce qui fait bien pour la cause, ce sont vos femmes et vos enfants qui meurent de faim, entendez-vous ? Le nom de Philippe leur remplira la
30 bouche, mais il ne leur remplira pas le ventre. Quels pourceaux êtes-vous ?

LE DEUXIÈME BANNI.   Il est impossible de s'entendre avec un homme aussi grossier. Allons-nous-en, camarade.

PIERRE.   Va au diable, canaille ! et dis à tes confédérés que,
35 s'ils ne veulent pas de moi, le roi de France en veut, lui ! et qu'ils prennent garde qu'on ne me donne la main haute sur vous tous !

LE DEUXIÈME BANNI, *à l'autre.*   Viens, camarade, allons souper ; je suis, comme toi, excédé de fatigue.
Ils sortent.

---

1. *Douze lieues* : 48 kilomètres.

SCÈNE 9.

Une place ; il est nuit.

LORENZO, *entrant.* Je lui dirai que c'est un motif de pudeur, et j'emporterai la lumière — cela se fait tous les jours — une nouvelle mariée, par exemple, exige cela de son mari pour entrer dans la chambre nuptiale, et Catherine passe pour
5 très vertueuse. — Pauvre fille ! qui l'est sous le soleil, si elle ne l'est pas ? — Que ma mère mourût de tout cela, voilà ce qui pourrait arriver. Ainsi donc, voilà qui est fait. Patience ! une heure est une heure, et l'horloge vient de sonner. Si vous y tenez cependant — mais non, pourquoi ? — Emporte le
10 flambeau si tu veux ; la première fois qu'une femme se donne, cela est tout simple. — Entrez donc, chauffez-vous donc un peu. — Oh ! mon Dieu, oui, pur caprice de jeune fille ; et quel motif de croire à ce meurtre ? — Cela pourra les étonner, même Philippe. Te voilà, toi, face livide ? *(La lune*
15 *paraît.)* Si les républicains étaient des hommes, quelle révolution demain dans la ville ! Mais Pierre est un ambitieux ; les Ruccellaï seuls valent quelque chose. — Ah ! les mots, les mots, les éternelles paroles ! S'il y a quelqu'un là-haut, il doit bien rire de nous tous ; cela est très comique, très comique,
20 vraiment. — Ô bavardage humain ! ô grand tueur de corps morts ! grand défonceur de portes ouvertes ! ô hommes sans bras ! Non ! non ! je n'emporterai pas la lumière. — J'irai droit au cœur ; il se verra tuer... Sang du Christ ! on se mettra demain aux fenêtres. Pourvu qu'il n'ait pas imaginé
25 quelque cuirasse nouvelle, quelque cotte de mailles. Maudite invention ! Lutter avec Dieu et le diable, ce n'est rien ; mais lutter avec des bouts de ferraille croisés les uns sur les autres par la main sale d'un armurier ! — Je passerai le second pour entrer ; il posera son épée là — ou là — oui, sur le canapé.
30 — Quant à l'affaire du baudrier à rouler autour de la garde, cela est aisé. S'il pouvait lui prendre fantaisie de se coucher, voilà où serait le vrai moyen. Couché, assis, ou debout ? assis

177

plutôt. Je commencerai par sortir ; Scoronconcolo est enfermé
dans le cabinet. Alors nous venons, nous venons — je ne
35 voudrais pourtant pas qu'il tournât le dos. J'irai à lui tout
droit. Allons, la paix, la paix ! l'heure va venir. — Il faut que
j'aille dans quelque cabaret ; je ne m'aperçois pas que je
prends du froid, et je viderai un flacon. — Non ; je ne veux
pas boire. Où diable vais-je donc ? les cabarets sont fermés.
40 Est-elle bonne fille ? — Oui, vraiment. — En chemise ? —
Oh ! non, non, je ne le pense pas. — Pauvre Catherine ! —
Que ma mère mourût de tout cela, ce serait triste. — Et
quand je lui aurais dit mon projet, qu'aurais-je pu y faire ?
au lieu de la consoler, cela lui aurait fait dire : Crime ! Crime !
45 jusqu'à son dernier soupir ! Je ne sais pourquoi je marche, je
tombe de lassitude. *(Il s'asseoit sur un banc.)* Pauvre Philippe !
une fille belle comme le jour. Une seule fois je me suis assis
près d'elle sous le marronnier ; ces petites mains blanches,
comme cela travaillait ! Que de journées j'ai passées, moi,
50 assis sous les arbres ! Ah ! quelle tranquillité ! quel horizon
à Cafaggiuolo ! Jeannette était jolie, la petite fille du concierge,
en faisant sécher sa lessive. Comme elle chassait les chèvres
qui venaient marcher sur son linge étendu sur le gazon ! la
chèvre blanche revenait toujours, avec ses grandes pattes
55 menues. *(Une horloge sonne.)* Ah ! ah ! il faut que j'aille là-bas.
— Bonsoir, mignon ; eh ! trinque donc avec Giomo. — Bon
vin ! Cela serait plaisant qu'il lui vînt à l'idée de me dire :
Ta chambre est-elle retirée ? entendra-t-on quelque chose du
voisinage ? Cela sera plaisant ; ah ! on y a pourvu. Oui, cela
60 serait drôle qu'il lui vînt cette idée. Je me trompe d'heure ;
ce n'est que la demie. Quelle est donc cette lumière sous le
portique de l'église ? on taille, on remue des pierres. Il paraît
que ces hommes sont courageux avec les pierres. Comme ils
coupent ! comme ils enfoncent ! Ils font un crucifix ; avec
65 quel courage ils le clouent ! Je voudrais voir que leur cadavre
de marbre les prît tout d'un coup à la gorge. Eh bien, eh
bien, quoi donc ? j'ai des envies de danser qui sont incroyables.

Je crois, si je m'y laissais aller, que je sauterais comme un moineau sur tous ces gros plâtras et sur toutes ces poutres.

70 Eh, mignon, eh, mignon ! mettez vos gants neufs, un plus bel habit que cela, tra la la ! faites-vous beau, la mariée est belle. Mais, je vous le dis à l'oreille, prenez garde à son petit couteau.

Il sort en courant.

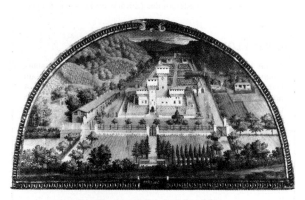

La villa des Médicis à Cafaggiuolo.
Tableau de Utens (XVIe siècle).
Musée Médicis, Florence.

Acte IV Scène 9

ULTIMES PRÉPARATIFS

1. Montrez que, dans les scènes 1, 3, 5 et 9, la préparation matérielle du crime est moins importante que sa préparation psychologique : dénombrez les monologues et comparez-les entre eux.

L'ART DE L'ANALYSE

2. Notez les éléments de psychologie propres au romantisme : prédestination, aveuglement, tragique, manichéisme. Comparez-les à la tirade d'*Hernani* (Victor Hugo, 1830, III, 3) :
« Agent aveugle et sourd de mystères funèbres !
Une âme de malheur faite avec des ténèbres ! »

3. Analysez aussi la part de « psychologie des profondeurs » (rêve, hallucination, souvenirs, incohérence du déroulement de la pensée, etc.) : n'y a-t-il pas ici une étape vers le monologue intérieur, tel que l'exploiteront des écrivains du xxᵉ siècle (Joyce, Sarraute...) ?

QUI EST LORENZO ?

4. Sur le plan politique pensez-vous que l'on puisse qualifier Lorenzo de dilettante en signifiant par là qu'il ne saurait être un véritable révolutionnaire agissant pour le bien de l'humanité ? À quoi voit-on que Lorenzo conçoit de plus en plus son crime comme un acte personnel et non collectif ?

5. Sur le plan métaphysique, n'y a-t-il pas élargissement du personnage, jusqu'à représenter la lutte éternelle du bien et du mal ? l'inutilité et le non-sens de toute forme d'action ? Justifiez votre réponse.

SCÈNE 10.

Chez le duc.

LE DUC, *à souper,* GIOMO. — *Entre* LE CARDINAL CIBO.

LE CARDINAL. Altesse, prenez garde à Lorenzo.

LE DUC. Vous voilà, cardinal ! asseyez-vous donc, et prenez donc un verre.

LE CARDINAL. Prenez garde à Lorenzo, duc. Il a été
5 demander ce soir à l'évêque de Marzi la permission d'avoir des chevaux de poste cette nuit.

LE DUC. Cela ne se peut pas.

LE CARDINAL. Je le tiens de l'évêque lui-même.

LE DUC. Allons donc ! je vous dis que j'ai de bonnes raisons
10 pour savoir que cela ne se peut pas.

LE CARDINAL. Me faire croire est peut-être impossible ; je remplis mon devoir en vous avertissant.

LE DUC. Quand cela serait vrai, que voyez-vous d'effrayant à cela ? Il va peut-être à Cafaggiuolo.

15 LE CARDINAL. Ce qu'il y a d'effrayant, monseigneur, c'est qu'en passant sur la place pour venir ici, je l'ai vu de mes yeux sauter sur des poutres et des pierres comme un fou. Je l'ai appelé, et, je suis forcé d'en convenir, son regard m'a fait peur. Soyez certain qu'il mûrit dans sa tête quelque projet
20 pour cette nuit.

LE DUC. Et pourquoi ces projets me seraient-ils dangereux ?

LE CARDINAL. Faut-il tout dire, même quand on parle d'un favori ? Apprenez qu'il a dit ce soir à deux personnes de ma connaissance, publiquement, sur leur terrasse, qu'il vous tuerait
25 cette nuit.

181

LE DUC. Buvez donc un verre de vin, cardinal. Est-ce que vous ne savez pas que Renzo est ordinairement gris au coucher du soleil ?

Entre sire Maurice.

SIRE MAURICE. Altesse, défiez-vous de Lorenzo. Il a dit à
30 trois de mes amis, ce soir, qu'il voulait vous tuer cette nuit.

LE DUC. Et vous aussi, brave Maurice, vous croyez aux fables ? Je vous croyais plus homme que cela.

SIRE MAURICE. Votre Altesse sait si je m'effraye sans raison. Ce que je dis, je puis le prouver.

35 LE DUC. Asseyez-vous donc, et trinquez avec le cardinal. — Vous ne trouverez pas mauvais que j'aille à mes affaires. — *(Entre Lorenzo.)* Eh bien, mignon, est-il déjà temps ?

LORENZO. Il est minuit tout à l'heure.

LE DUC. Qu'on me donne mon pourpoint de zibeline.

40 LORENZO. Dépêchons-nous ; votre belle est peut-être déjà au rendez-vous.

LE DUC. Quels gants faut-il prendre ? ceux de guerre, ou ceux d'amour ?

LORENZO. Ceux d'amour, Altesse.

45 LE DUC. Soit, je veux être un vert-galant[1].

Ils sortent.

SIRE MAURICE. Que dites-vous de cela, cardinal ?

LE CARDINAL. Que la volonté de Dieu se fait malgré les hommes.

Ils sortent.

---

1. *Vert-galant :* homme entreprenant avec les femmes. On a fait de cette expression le surnom d'Henri IV.

SCÈNE 11.

La chambre de Lorenzo.

Entrent LE DUC *et* LORENZO.

LE DUC. Je suis transi, — il fait vraiment froid. *(Il ôte son épée.)* Eh bien, mignon, qu'est-ce que tu fais donc ?

LORENZO. Je roule votre baudrier autour de votre épée, et je la mets sous votre chevet. Il est bon d'avoir toujours une
5 arme sous la main.

Il entortille le baudrier de manière à empêcher l'épée de sortir du fourreau.

LE DUC. Tu sais que je n'aime pas les bavardes, et il m'est revenu que la Catherine était une belle parleuse. Pour éviter les conversations, je vais me mettre au lit. — À propos, pourquoi donc as-tu fait demander des chevaux de poste à
10 l'évêque de Marzi ?

LORENZO. Pour aller voir mon frère, qui est très malade, à ce qu'il m'écrit.

LE DUC. Va donc chercher ta tante.

LORENZO. Dans un instant.

Il sort.

15 LE DUC, *seul.* Faire la cour à une femme qui vous répond « oui » lorsqu'on lui demande « oui ou non », cela m'a toujours paru très sot, et tout à fait digne d'un Français. Aujourd'hui surtout que j'ai soupé comme trois moines, je serais incapable de dire seulement : « Mon cœur », ou « Mes
20 chères entrailles », à l'infante d'Espagne[1]. Je veux faire semblant

---

1. *L'infante d'Espagne :* voir note 1 p. 145.

de dormir ; ce sera peut-être cavalier[1], mais ce sera commode. *Il se couche. — Lorenzo rentre l'épée à la main.*

LORENZO.   Dormez-vous, seigneur ?
Il le frappe.

LE DUC.   C'est toi, Renzo ?

LORENZO.   Seigneur, n'en doutez pas.
Il le frappe de nouveau. — Entre Scoronconcolo.

25 SCORONCONCOLO.   Est-ce fait ?

LORENZO.   Regarde, il m'a mordu au doigt. Je garderai jusqu'à la mort cette bague sanglante, inestimable diamant.

SCORONCONCOLO.   Ah ! mon Dieu ! c'est le duc de Florence !

30 LORENZO, *s'asseyant sur le bord de la fenêtre.*   Que la nuit est belle ! Que l'air du ciel est pur ! Respire, respire, cœur navré de joie !

SCORONCONCOLO.   Viens, maître, nous en avons trop fait ; sauvons-nous.

35 LORENZO.   Que le vent du soir est doux et embaumé ! Comme les fleurs des prairies s'entr'ouvrent ! Ô nature magnifique, ô éternel repos !

SCORONCONCOLO.   Le vent va glacer sur votre visage la sueur qui en découle. Venez, seigneur.

40 LORENZO.   Ah ! Dieu de bonté ! quel moment !

SCORONCONCOLO, *à part.*   Son âme se dilate singulièrement. Quant à moi, je prendrai les devants.
Il veut sortir.

LORENZO.   Attends ! Tire ces rideaux. Maintenant, donne-moi la clef de cette chambre.

---

1. *Cavalier :* désinvolte, grossier.

45 SCORONCONCOLO. Pourvu que les voisins n'aient rien entendu !

LORENZO. Ne te souviens-tu pas qu'ils sont habitués à notre tapage ? Viens, partons.

Ils sortent.

Lorenzo (Redjep Mitrovitsa) et Alexandre (Richard Fontana).
Mise en scène de Georges Lavaudant.
Comédie-Française, 1989.

Sur l'ensemble de l'acte IV

L'ÉCHEC DES STROZZI (sc. 2, 6, 8)

1. Montrez que Philippe, brisé par la mort de sa fille, passe définitivement du statut d'homme public à celui d'homme privé. Comparez cette évolution à celle de la marquise Cibo.

2. Le personnage de Pierre devient important. Relevez-en tous les éléments connus jusqu'ici. Comment évolue-t-il ? Quel type d'action politique représente-t-il ? Est-il un personnage vraiment cohérent ? Pourquoi ?

3. Montrez que le personnage de Louise est un personnage de mélodrame (voir p. 254).

LE MEURTRE

4. Un meurtre sur scène : pourquoi si rapide ?

5. Pourquoi (et comment) Musset a-t-il rendu évidente l'inutilité du meurtre avant qu'il n'ait lieu ? À quoi sert la scène 10 ?

6. Comparez la scène 1 de l'acte I et la scène 11 de l'acte IV (deux rendez-vous de débauche).

7. Relevez les éléments symboliques dans les paroles de Lorenzo (sc. 11) ; montrez-en les correspondances avec ceux de ses autres monologues et tirades.

Acte V

SCÈNE PREMIÈRE.

Au palais du duc.

Entrent VALORI, SIRE MAURICE *et* GUICCIARDINI[1].
Une foule de courtisans circulent dans la salle et dans les environs.

SIRE MAURICE. Giomo n'est pas revenu encore de son message ; cela devient de plus en plus inquiétant.

GUICCIARDINI. Le voilà qui entre dans la salle.
Entre Giomo.

LE CARDINAL. Eh bien ! qu'as-tu appris ?

5 GIOMO. Rien du tout.
Il sort.

GUICCIARDINI. Il ne veut pas répondre. Le cardinal Cibo est enfermé dans le cabinet du duc ; c'est à lui seul que les nouvelles arrivent. *(Entre un autre messager.)* Eh bien ! le duc est-il retrouvé ? sait-on ce qu'il est devenu ?

10 LE MESSAGER. Je ne sais pas.
Il entre dans le cabinet.

VALORI. Quel événement épouvantable, messieurs, que cette disparition ! point de nouvelles du duc ! Ne disiez-vous pas, sire Maurice, que vous l'avez vu hier soir ? Il ne paraissait pas malade ?
Rentre Giomo.

---

1. *Guicciardini* : homme politique important (1482-1549) auprès de Clément VII et d'Alexandre, puis auprès de Côme dont il soutint la candidature. Il a laissé d'importants ouvrages : *Souvenirs politiques et civiques, Histoire de Florence, Histoire d'Italie.*

15 GIOMO, *à sire Maurice.*   Je puis vous le dire à l'oreille — le duc est assassiné.

SIRE MAURICE.   Assassiné ! par qui ? où l'avez-vous trouvé ?

GIOMO.   Où vous nous aviez dit — dans la chambre de Lorenzo.

20 SIRE MAURICE.   Ah ! sang du diable ! le cardinal le sait-il ?

GIOMO.   Oui, Excellence.

SIRE MAURICE.   Que décide-t-il ? Qu'y a-t-il à faire ? Déjà le peuple se porte en foule vers le palais. Toute cette hideuse affaire a transpiré — nous sommes morts si elle se confirme
25 — on nous massacrera.

Des valets portant des tonneaux pleins de vin et de comestibles passent dans le fond.

GUICCIARDINI.   Que signifie cela ? Va-t-on faire des distributions au peuple ?

Entre un seigneur de la cour.

LE SEIGNEUR.   Le duc est-il visible, messieurs ? Voilà un cousin à moi, nouvellement arrivé d'Allemagne, que je désire
30 présenter à Son Altesse ; soyez assez bons pour le voir d'un œil favorable.

GUICCIARDINI.   Répondez-lui, seigneur Valori ; je ne sais que lui dire.

VALORI.   La salle se remplit à tout instant de ces
35 complimenteurs du matin. Ils attendent tranquillement qu'on les admette.

SIRE MAURICE, *à Giomo.*   On l'a enterré là ?

GIOMO.   Ma foi, oui, dans la sacristie. Que voulez-vous ? Si le peuple apprenait cette mort-là, elle pourrait en causer bien
40 d'autres. Lorsqu'il en sera temps, on lui fera des obsèques publiques. En attendant, nous l'avons emporté dans un tapis.

VALORI.   Qu'allons-nous devenir ?

PLUSIEURS SEIGNEURS *s'approchent.*   Nous sera-t-il bientôt

permis de présenter nos devoirs à Son Altesse ? Qu'en pensez-
45 vous, messieurs ?

Entre le cardinal Cibo.

LE CARDINAL.   Oui, messieurs, vous pourrez entrer dans une
heure ou deux. Le duc a passé la nuit à une mascarade, et il
repose en ce moment.

Des valets suspendent des dominos[1] aux croisées.

LES COURTISANS.   Retirons-nous ; le duc est encore couché.
50 Il a passé la nuit au bal.

Les courtisans se retirent. — Entrent les Huit.

NICCOLINI.   Eh bien, cardinal, qu'y a-t-il de décidé ?

LE CARDINAL.
   « *Primo avulso, non deficit alter*
   Aureus, et simili fronde scit virga metallo[2]. » *(Il sort).*

NICCOLINI.   Voilà qui est admirable ; mais qu'y a-t-il de
55 fait ? Le duc est mort ; il faut en élire un autre, et cela le
plus vite possible. Si nous n'avons pas un duc ce soir ou
demain, c'en est fait de nous. Le peuple est en ce moment
comme l'eau qui va bouillir.

VETTORI.   Je propose Octavien de Médicis[3].

60 CAPPONI.   Pourquoi ? il n'est pas le premier par les droits
du sang.

ACCIAIUOLI.   Si nous prenions le cardinal ?

SIRE MAURICE.   Plaisantez-vous ?

---

1. *Dominos :* grandes capes noires qui se portent avec un masque
pendant le carnaval.
2. « Le premier rameau d'or enlevé, un autre ne fait pas défaut / Et
une nouvelle branche, de même métal, pousse aussitôt » (citation de
Virgile, *l'Énéide*, VI). Le cardinal laisse ainsi sous-entendre que la
succession d'Alexandre est assurée.
3. *Octavien de Médicis :* il n'était issu ni de la branche aînée ni de
celle de Laurent de Médicis et se récusa sur cette raison.

RUCCELLAÏ. Pourquoi, en effet, ne prendriez-vous pas le
65 cardinal, vous qui le laissez, au mépris de toutes les lois, se
déclarer seul juge en cette affaire ?

VETTORI. C'est un homme capable de la bien diriger.

RUCCELLAÏ. Qu'il se fasse donner l'ordre du pape.

VETTORI. C'est ce qu'il a fait ; le pape a envoyé l'autorisation
70 par un courrier que le cardinal a fait partir dans la nuit.

RUCCELLAÏ. Vous voulez dire par un oiseau, sans doute ;
car un courrier commence par prendre le temps d'aller, avant
d'avoir celui de revenir. Nous traite-t-on comme des enfants ?

CANIGIANI, *s'approchant.* Messieurs, si vous m'en croyez,
75 voilà ce que nous ferons : nous élirons duc de Florence son
fils naturel Julien.

RUCCELLAÏ. Bravo ! un enfant de cinq ans ! N'a-t-il pas cinq
ans, Canigiani ?

GUICCIARDINI, *bas.* Ne voyez-vous pas le personnage ? c'est
80 le cardinal qui lui met dans la tête cette sotte proposition.
Cibo serait régent, et l'enfant mangerait des gâteaux.

RUCCELLAÏ. Cela est honteux ; je sors de cette salle, si on
y tient de pareils discours.

Entre Corsi.

CORSI. Messieurs, le cardinal vient d'écrire à Côme de
85 Médicis.

LES HUIT. Sans nous consulter ?

CORSI. Le cardinal a écrit pareillement à Pise, à Arezzo, et
à Pistoie[1], aux commandants militaires. Jacques de Médicis
sera demain ici avec le plus de monde possible ; Alexandre
90 Vitelli[2] est déjà dans la forteresse avec la garnison entière.
Quant à Lorenzo, il est parti trois courriers pour le joindre.

---

1. *Pise ... Pistoie :* villes sous la dépendance de Florence.
2. *Alexandre Vitelli :* mercenaire au service de Côme.

RUCCELLAÏ.   Qu'il se fasse duc tout de suite, votre cardinal, cela sera plus tôt fait.

95 CORSI.   Il m'est ordonné de vous prier de mettre aux voix l'élection de Côme de Médicis, sous le titre provisoire de gouverneur de la République florentine.

GIOMO, *à des valets qui traversent la salle.*   Répandez du sable autour de la porte, et n'épargnez pas le vin plus que le reste.

RUCCELLAÏ.   Pauvre peuple ! quel badaud on fait de toi !

100 SIRE MAURICE.   Allons, messieurs, aux voix. Voici vos billets.

VETTORI.   Côme est en effet le premier en droit après Alexandre ; c'est son plus proche parent.

ACCIAIUOLI.   Quel homme est-ce ? je le connais fort peu.

CORSI.   C'est le meilleur prince du monde.

105 GUICCIARDINI.   Hé, hé, pas tout à fait cela. Si vous disiez le plus diffus et le plus poli des princes, ce serait plus vrai.

SIRE MAURICE.   Vos voix, seigneurs.

RUCCELLAÏ.   Je m'oppose à ce vote formellement, et au nom de tous les citoyens.

110 VETTORI.   Pourquoi ?

RUCCELLAÏ.   Il ne faut plus à la République ni princes, ni ducs, ni seigneurs — voici mon vote.
Il montre son billet blanc.

VETTORI.   Votre voix n'est qu'une voix. Nous nous passerons de vous.

115 RUCCELLAÏ.   Adieu donc ; je m'en lave les mains.

GUICCIARDINI, *courant après lui.*   Eh ! mon Dieu, Palla, vous êtes trop violent.

RUCCELLAÏ.   Laissez-moi ! J'ai soixante-deux ans passés ; ainsi vous ne pouvez pas me faire grand mal désormais.
Il sort.

120 NICCOLINI.   Vos voix, messieurs ! *(Il déplie les billets jetés dans*

191

un bonnet.) Il y a unanimité. Le courrier est-il parti pour Trebbio[1] ?

CORSI. Oui, Excellence. Côme sera ici dans la matinée de demain, à moins qu'il ne refuse.

125 VETTORI. Pourquoi refuserait-il ?

NICCOLINI. Ah ! mon Dieu ! s'il allait refuser, que deviendrions-nous ? Quinze lieues[2] à faire d'ici à Trebbio pour trouver Côme, et autant pour revenir, ce serait une journée de perdue. Nous aurions dû choisir quelqu'un qui fût plus
130 près de nous.

VETTORI. Que voulez-vous ? — notre vote est fait, et il est probable qu'il acceptera. — Tout cela est étourdissant.
Ils sortent.

SCÈNE 2.

À Venise.

PHILIPPE STROZZI, *dans son cabinet.* J'en étais sûr. — Pierre est en correspondance avec le roi de France — le voilà à la tête d'une espèce d'armée, et prêt à mettre le bourg à feu et à sang. C'est donc là ce qu'aura fait ce pauvre nom de
5 Strozzi, qu'on a respecté si longtemps ! — il aura produit

---

1. *Trebbio :* ville où se trouvait la villa de Côme de Médicis qui ignorait alors ce qui se passait à Florence.
2. *Quinze lieues :* 60 kilomètres. En fait, la distance est de 15 milles, soit environ 23 kilomètres.

un rebelle et deux ou trois massacres. — Ô ma Louise ! tu dors en paix sous le gazon — l'oubli du monde entier est autour de toi, comme en toi, au fond de la triste vallée où je t'ai laissée. *(On frappe à la porte.)* Entrez.

Entre Lorenzo.

10 LORENZO. Philippe, je t'apporte le plus beau joyau de ta couronne.

PHILIPPE. Qu'est-ce que tu jettes là ? une clef ?

LORENZO. Cette clef ouvre ma chambre, et dans ma chambre est Alexandre de Médicis, mort de la main que voilà.

15 PHILIPPE. Vraiment ! vraiment ! — cela est incroyable.

LORENZO. Crois-le si tu veux. — Tu le sauras par d'autres que par moi.

PHILIPPE, *prenant la clef.* Alexandre est mort ! — cela est-il possible ?

20 LORENZO. Que dirais-tu, si les républicains t'offraient d'être duc à sa place ?

PHILIPPE. Je refuserais, mon ami.

LORENZO. Vraiment ! vraiment ! — cela est incroyable.

PHILIPPE. Pourquoi ? — cela est tout simple pour moi.

25 LORENZO. Comme pour moi de tuer Alexandre. — Pourquoi ne veux-tu pas me croire ?

PHILIPPE. Ô notre nouveau Brutus ! je te crois et je t'embrasse. — La liberté est donc sauvée ! — Oui, je te crois, tu es tel que tu me l'as dit. Donne-moi ta main. — Le duc est mort !

30 — ah ! il n'y a pas de haine dans ma joie — il n'y a que l'amour le plus pur, le plus sacré pour la patrie, j'en prends Dieu à témoin.

LORENZO. Allons, calme-toi. — Il n'y a rien de sauvé que moi, qui ai les reins brisés par les chevaux de l'évêque de

35 Marzi.

PHILIPPE. N'as-tu pas averti nos amis ? N'ont-ils pas l'épée à la main à l'heure qu'il est ?

LORENZO. Je les ai avertis ; j'ai frappé à toutes les portes républicaines, avec la constance d'un frère quêteur[1] — je leur
40 ai dit de frotter leurs épées, qu'Alexandre serait mort quand ils s'éveilleraient. — Je pense qu'à l'heure qu'il est ils se sont éveillés plus d'une fois, et rendormis à l'avenant. — Mais, en vérité, je ne pense pas autre chose.

PHILIPPE. As-tu averti les Pazzi ? — L'as-tu dit à Corsini ?

45 LORENZO. À tout le monde — je l'aurais dit, je crois, à la lune, tant j'étais sûr de n'être pas écouté.

PHILIPPE. Comment l'entends-tu ?

LORENZO. J'entends qu'ils ont haussé les épaules, et qu'ils sont retournés à leurs dîners, à leurs cornets[2] et à leurs
50 femmes.

PHILIPPE. Tu ne leur as donc pas expliqué l'affaire ?

LORENZO. Que diantre voulez-vous que j'explique ? — Croyez-vous que j'eusse une heure à perdre avec chacun d'eux ? Je leur ai dit : « Préparez-vous », et j'ai fait mon
55 coup.

PHILIPPE. Et tu crois que les Pazzi ne font rien ? — qu'en sais-tu ? — Tu n'as pas de nouvelles depuis ton départ, et il y a plusieurs jours que tu es en route.

LORENZO. Je crois que les Pazzi font quelque chose ; je
60 crois qu'ils font des armes dans leur antichambre, en buvant du vin du Midi de temps à autre, quand ils ont le gosier sec.

PHILIPPE. Tu soutiens ta gageure ; ne m'as-tu pas voulu

---

1. *Frère quêteur :* moine mendiant.
2. *Cornets :* cornets à dés.

Lorenzo (Redjep Mitrovitsa).
Mise en scène de Georges Lavaudant.
Comédie-Française, 1989.

parier ce que tu me dis là ? Sois tranquille, j'ai meilleure espérance.

65 LORENZO.   Je suis tranquille, plus que je ne puis dire.

PHILIPPE.   Pourquoi n'es-tu pas sorti la tête du duc à la main ? Le peuple t'aurait suivi comme son sauveur et son chef.

LORENZO.   J'ai laissé le cerf aux chiens — qu'ils fassent eux-
70 mêmes la curée.

PHILIPPE.   Tu aurais déifié les hommes, si tu ne les méprisais.

LORENZO.   Je ne les méprise point, je les connais. Je suis très persuadé qu'il y en a très peu de très méchants, beaucoup de lâches, et un grand nombre d'indifférents. Il y en a aussi
75 de féroces, comme les habitants de Pistoie, qui ont trouvé dans cette affaire une petite occasion d'égorger tous leurs chanceliers en plein midi, au milieu des rues. J'ai appris cela il n'y a pas une heure.

PHILIPPE.   Je suis plein de joie et d'espoir ; le cœur me bat
80 malgré moi.

LORENZO.   Tant mieux pour vous.

PHILIPPE.   Puisque tu n'en sais rien, pourquoi en parles-tu ainsi ? Assurément tous les hommes ne sont pas capables de grandes choses, mais tous sont sensibles aux grandes choses ;
85 nies-tu l'histoire du monde entier ? Il faut sans doute une étincelle pour allumer une forêt, mais l'étincelle peut sortir d'un caillou, et la forêt prend feu. C'est ainsi que l'éclair d'une seule épée peut illuminer tout un siècle.

LORENZO.   Je ne nie pas l'histoire, mais je n'y étais pas.

90 PHILIPPE.   Laisse-moi t'appeler Brutus ! Si je suis un rêveur, laisse-moi ce rêve-là. Ô mes amis, mes compatriotes ! vous pouvez faire un beau lit de mort au vieux Strozzi, si vous voulez !

LORENZO.   Pourquoi ouvrez-vous la fenêtre ?

95 PHILIPPE.   Ne vois-tu pas sur cette route un courrier qui arrive à franc étrier ? Mon Brutus ! Mon grand Lorenzo ! la liberté est dans le ciel ! je la sens, je la respire.

LORENZO.   Philippe ! Philippe ! point de cela — fermez votre fenêtre — toutes ces paroles me font mal.

100 PHILIPPE.   Il me semble qu'il y a un attroupement dans la rue ; un crieur lit une proclamation. Holà, Jean ! allez acheter le papier de ce crieur.

LORENZO.   Ô Dieu ! ô Dieu !

PHILIPPE.   Tu deviens pâle comme un mort. Qu'as-tu donc ?

105 LORENZO.   N'as-tu rien entendu ?
Un domestique entre, apportant la proclamation.

PHILIPPE.   Non ; lis donc un peu ce papier, qu'on criait dans la rue.

LORENZO, *lisant.*   « À tout homme, noble ou roturier, qui tuera Lorenzo de Médicis, traître à la patrie et assassin de
110 son maître, en quelque lieu et de quelque manière que ce soit, sur toute la surface de l'Italie, il est promis par le conseil des Huit à Florence : 1° quatre mille florins d'or sans aucune retenue ; 2° une rente de cent florins d'or par an, pour lui durant sa vie, et ses héritiers en ligne directe après sa mort ;
115 3° la permission d'exercer toutes les magistratures, de posséder tous les bénéfices et privilèges de l'État, malgré sa naissance s'il est roturier ; 4° grâce perpétuelle pour toutes ses fautes, passées et futures, ordinaires et extraordinaires. »

Signé de la main des Huit.

120 Eh bien, Philippe, vous ne vouliez pas croire tout à l'heure que j'avais tué Alexandre ? Vous voyez bien que je l'ai tué.

PHILIPPE.   Silence ! quelqu'un monte l'escalier. Cache-toi dans cette chambre.
Ils sortent.

SCÈNE 3.

Florence. — Une rue.

Entrent DEUX GENTILSHOMMES.

PREMIER GENTILHOMME. N'est-ce pas le marquis Cibo qui passe là ? Il me semble qu'il donne le bras à sa femme.
Le marquis et la marquise passent.

DEUXIÈME GENTILHOMME. Il paraît que ce bon marquis n'est pas d'une nature vindicative. Qui ne sait pas à Florence
5 que sa femme a été la maîtresse du feu duc ?

PREMIER GENTILHOMME. Ils paraissent bien raccommodés. J'ai cru les voir se serrer la main.

DEUXIÈME GENTILHOMME. La perle des maris, en vérité ! Avaler ainsi une couleuvre aussi longue que l'Arno, cela
10 s'appelle avoir l'estomac bon.

PREMIER GENTILHOMME. Je sais que cela fait parler — cependant je ne te conseillerais pas d'aller lui en parler à lui-même ; il est de la première force à toutes les armes, et les faiseurs de calembours craignent l'odeur de son jardin.

15 DEUXIÈME GENTILHOMME. Si c'est un original, il n'y a rien à dire.
Ils sortent.

SCÈNE 4.

Une auberge.

Entrent PIERRE STROZZI *et* UN MESSAGER.

PIERRE. Ce sont ses propres paroles ?
LE MESSAGER. Oui, Excellence, les paroles du roi lui-même.

PIERRE. C'est bon. *(Le messager sort.)* Le roi de France
protégeant la liberté de l'Italie, c'est justement comme un
5 voleur protégeant contre un autre voleur une jolie femme en
voyage. Il la défend jusqu'à ce qu'il la viole. Quoi qu'il en
soit, une route s'ouvre devant moi, sur laquelle il y a plus
de bons grains que de poussière. Maudit soit ce Lorenzaccio,
qui s'avise de devenir quelque chose ! Ma vengeance m'a
10 glissé entre les doigts comme un oiseau effarouché ; je ne
puis plus rien imaginer ici qui soit digne de moi. Allons faire
une attaque vigoureuse au bourg, et puis laissons là ces
femmelettes qui ne pensent qu'au nom de mon père, et qui
me toisent toute la journée pour chercher par où je lui
15 ressemble. Je suis né pour autre chose que pour faire un chef
de bandits.
Il sort.

SCÈNE 5.

Une place. — Florence.

L'ORFÈVRE *et* LE MARCHAND DE SOIE, *assis.*

LE MARCHAND.   Observez bien ce que je dis, faites attention
à mes paroles. Le feu duc Alexandre a été tué l'an 1536[1],
qui est bien l'année où nous sommes — suivez-moi toujours.

---

1. Jusqu'en 1564, l'année se terminait à Pâques, mais, pour les
historiens modernes, il s'agit de 1537.

— Il a donc été tué l'an 1536, voilà qui est fait. Il avait
vingt-six ans ; remarquez-vous cela ? Mais ce n'est encore rien ;
il avait donc vingt-six ans, bon. Il est mort le 6 du mois ;
ah ! ah ! saviez-vous ceci ? n'est-ce pas justement le 6 qu'il
est mort ? Écoutez maintenant. Il est mort à six heures de
la nuit. Qu'en pensez-vous, père Mondella ? voilà de
l'extraordinaire, ou je ne m'y connais pas. Il est donc mort
à six heures de la nuit. Paix ! ne dites rien encore. Il avait
six blessures. Eh bien ! cela vous frappe-t-il à présent ? Il avait
six blessures, à six heures de la nuit, le 6 du mois, à l'âge
de vingt-six ans, l'an 1536. Maintenant, un seul mot — il
avait régné six ans.

L'ORFÈVRE.   Quel galimatias me faites-vous là, voisin ?

LE MARCHAND.   Comment ! comment ! vous êtes donc
absolument incapable de calculer ? vous ne voyez pas ce qui
résulte de ces combinaisons surnaturelles que j'ai l'honneur
de vous expliquer ?

L'ORFÈVRE.   Non, en vérité, je ne vois pas ce qui en résulte.

LE MARCHAND.   Vous ne le voyez pas ? Est-ce possible,
voisin, que vous ne le voyiez pas ?

L'ORFÈVRE.   Je ne vois pas qu'il en résulte la moindre des
choses. — À quoi cela peut-il nous être utile ?

LE MARCHAND.   Il en résulte que six six ont concouru à la
mort d'Alexandre. Chut ! ne répétez pas ceci comme venant
de moi. Vous savez que je passe pour un homme sage et
circonspect ; ne me faites point de tort, au nom de tous les
saints ! La chose est plus grave qu'on ne pense, je vous le
dis comme à un ami.

L'ORFÈVRE.   Allez vous promener ! je suis un homme vieux,
mais pas encore une vieille femme. Le Côme arrive aujourd'hui,
voilà ce qui résulte le plus clairement de notre affaire ; il
nous est poussé un beau dévideur de paroles dans votre nuit
de six six. Ah ! mort de ma vie ! cela ne fait-il pas honte ?
Mes ouvriers, voisin, les derniers de mes ouvriers, frappaient

avec leurs instruments sur les tables, en voyant passer les
Huit, et ils leur criaient : « Si vous ne savez ni ne pouvez
40 agir, appelez-nous, qui agirons. »

LE MARCHAND.   Il n'y a pas que les vôtres qui aient crié ;
c'est un vacarme de paroles dans la ville, comme je n'en ai
jamais entendu, même par ouï-dire.

L'ORFÈVRE.   Les uns courent après les soldats, les autres
45 après le vin qu'on distribue, et ils s'en remplissent la bouche
et la cervelle, afin de perdre le peu de sens commun et de
bonnes paroles qui pourraient leur rester.

LE MARCHAND.   Il y en a qui voulaient rétablir le Conseil,
et élire librement un gonfalonier[1], comme jadis.

50 L'ORFÈVRE.   Il y en a qui voulaient, comme vous dites, mais
il n'y en a pas qui aient agi. Tout vieux que je suis, j'ai été
au Marché-Neuf, moi, et j'ai reçu dans la jambe un bon coup
de hallebarde. Pas une âme n'est venue à mon secours. Les
étudiants seuls se sont montrés.

55 LE MARCHAND.   Je le crois bien. Savez-vous ce qu'on dit,
voisin ? On dit que le provéditeur, Roberto Corsini, est allé
hier soir à l'assemblée des républicains, au palais Salviati.

L'ORFÈVRE.   Rien n'est plus vrai. Il a offert de livrer la
forteresse aux amis de la liberté, avec les provisions, les clefs,
60 et tout le reste.

LE MARCHAND.   Et il l'a fait, voisin ? est-ce qu'il l'a fait ?
c'est une trahison de haute justice.

L'ORFÈVRE.   Ah bien oui ! on a braillé, bu du vin sucré, et
cassé des carreaux ; mais la proposition de ce brave homme
65 n'a seulement pas été écoutée. Comme on n'osait pas faire

---

1. *Gonfalonier* : cette charge de justice était la magistrature la plus
haute à Florence. Le gonfalonier était élu par un conseil. La fonction
et le conseil avaient été supprimés par Alexandre.

201

ce qu'il voulait, on a dit qu'on doutait de lui, et qu'on le soupçonnait de fausseté dans ses offres. Mille millions de diables ! que j'enrage ! Tenez, voilà les courriers de Trebbio qui arrivent ; Côme n'est pas loin d'ici. Bonsoir, voisin, le 70 sang me démange ! il faut que j'aille au palais.

Il sort.

LE MARCHAND.   Attendez donc, voisin ; je vais avec vous.

Il sort. Entre un précepteur avec le petit Salviati, et un autre avec le petit Strozzi.

LE PREMIER PRÉCEPTEUR.   *Sapientissime doctor*[1]*,* comment se porte Votre Seigneurie ? Le trésor de votre précieuse santé est-il dans une assiette régulière, et votre équilibre se maintient-75 il convenable, par ces tempêtes où nous voilà ?

LE DEUXIÈME PRÉCEPTEUR.   C'est chose grave, seigneur docteur, qu'une rencontre aussi érudite et aussi fleurie que la vôtre, sur cette terre soucieuse et lézardée. Souffrez que je presse cette main gigantesque, d'où sont sortis les chefs-80 d'œuvre de notre langue. Avouez-le, vous avez fait depuis peu un sonnet.

LE PETIT SALVIATI.   Canaille de Strozzi que tu es !

LE PETIT STROZZI.   Ton père a été rossé, Salviati.

LE PREMIER PRÉCEPTEUR.   Ce pauvre ébat de notre muse 85 serait-il allé jusqu'à vous, qui êtes homme d'art si consciencieux, si large et si austère ? Des yeux comme les vôtres, qui remuent des horizons si dentelés, si phosphorescents, auraient-ils consenti à s'occuper des fumées peut-être bizarres et osées d'une imagination chatoyante ?

90 LE DEUXIÈME PRÉCEPTEUR.   Oh ! si vous aimez l'art, et si vous nous aimez, dites-nous, de grâce, votre sonnet. La ville ne s'occupe que de votre sonnet.

_____

1. *Sapientissime doctor :* très sage docteur (latin).

LE PREMIER PRÉCEPTEUR.   Vous serez peut-être étonné que
moi, qui ai commencé par chanter la monarchie en quelque
95 sorte, je semble cette fois chanter la république.

LE PETIT SALVIATI.   Ne me donne pas de coups de pied,
Strozzi.

LE PETIT STROZZI.   Tiens, chien de Salviati, en voilà encore
deux.

100 LE PREMIER PRÉCEPTEUR.   Voici les vers :
     Chantons la Liberté, qui refleurit plus âpre...

LE PETIT SALVIATI.   Faites donc finir ce gamin-là, monsieur ;
c'est un coupe-jarret. Tous les Strozzi sont des coupe-jarrets.

LE DEUXIÈME PRÉCEPTEUR.   Allons, petit, tiens-toi tranquille.

105 LE PETIT STROZZI.   Tu y reviens en sournois ? Tiens, canaille,
porte cela à ton père, et dis-lui qu'il le mette avec l'estafilade
qu'il a reçue de Pierre Strozzi, empoisonneur que tu es ! Vous
êtes tous des empoisonneurs.

LE PREMIER PRÉCEPTEUR.   Veux-tu te taire, polisson !
Il le frappe.

110 LE PETIT STROZZI.   Aye, aye ! il m'a frappé.

LE PREMIER PRÉCEPTEUR.
     Chantons la Liberté, qui refleurit plus âpre,
     Sous des soleils plus mûrs et des cieux plus vermeils.

LE PETIT STROZZI.   Aye ! aye ! il m'a écorché l'oreille.

115 LE DEUXIÈME PRÉCEPTEUR.   Vous avez frappé trop fort, mon
ami.
Le petit Strozzi rosse le petit Salviati.

LE PREMIER PRÉCEPTEUR.   Eh bien ! qu'est-ce à dire ?

LE DEUXIÈME PRÉCEPTEUR.   Continuez, je vous en supplie.

LE PREMIER PRÉCEPTEUR.   Avec plaisir, mais ces enfants ne
120 cessent pas de se battre.
Les enfants sortent en se battant. Ils les suivent.

SCÈNE 6.

Venise. — Le cabinet de Strozzi.

PHILIPPE, LORENZO, *tenant une lettre.*

LORENZO. Voilà une lettre qui m'apprend que ma mère est morte[1]. Venez donc faire un tour de promenade, Philippe.

PHILIPPE. Je vous en supplie, mon ami, ne tentez pas la destinée. Vous allez et venez continuellement, comme si cette
5 proclamation de mort n'existait pas.

LORENZO. Au moment où j'allais tuer Clément VII, ma tête a été mise à prix à Rome. Il est naturel qu'elle le soit dans toute l'Italie, aujourd'hui que j'ai tué Alexandre. Si je sortais de l'Italie, je serais bientôt sonné à son de trompe dans toute
10 l'Europe, et à ma mort, le bon Dieu ne manquera pas de faire placarder ma condamnation éternelle dans tous les carrefours de l'immensité.

PHILIPPE. Votre gaieté est triste comme la nuit ; vous n'êtes pas changé, Lorenzo.

15 LORENZO. Non, en vérité, je porte les mêmes habits, je marche toujours sur mes jambes, et je bâille avec ma bouche ; il n'y a de changé en moi qu'une misère — c'est que je suis plus creux et plus vide qu'une statue de fer-blanc.

PHILIPPE. Partons ensemble ; redevenez un homme. Vous
20 avez beaucoup fait, mais vous êtes jeune.

LORENZO. Je suis plus vieux que le bisaïeul de Saturne[2] — je vous en prie, venez faire un tour de promenade.

PHILIPPE. Votre esprit se torture dans l'inaction ; c'est là votre malheur. Vous avez des travers, mon ami.

---

1. En réalité, la mère de Lorenzo est morte plusieurs années après son fils.
2. *Saturne :* père de Jupiter, ancêtre de tous les dieux, et dieu du Temps.

25 LORENZO.   J'en conviens ; que les républicains n'aient rien
fait à Florence, c'est là un grand travers de ma part. Qu'une
centaine de jeunes étudiants, braves et déterminés, se soient
fait massacrer en vain, que Côme, un planteur de choux, ait
été élu à l'unanimité — oh ! je l'avoue, je l'avoue, ce sont
30 là des travers impardonnables, et qui me font le plus grand
tort.

PHILIPPE.   Ne raisonnons point sur un événement qui n'est
pas achevé. L'important est de sortir d'Italie ; vous n'avez
point encore fini sur la terre.

35 LORENZO.   J'étais une machine à meurtre, mais à un meurtre
seulement.

PHILIPPE.   N'avez-vous pas été heureux autrement que par ce
meurtre ? Quand vous ne devriez faire désormais qu'un
honnête homme, pourquoi voudriez-vous mourir ?

40 LORENZO.   Je ne puis que vous répéter mes propres paroles :
Philippe, j'ai été honnête. — Peut-être le redeviendrais-je, sans
l'ennui qui me prend. — J'aime encore le vin et les femmes ;
c'est assez, il est vrai, pour faire de moi un débauché, mais
ce n'est pas assez pour me donner envie de l'être. Sortons,
45 je vous en prie.

PHILIPPE.   Tu te feras tuer dans toutes ces promenades.

LORENZO.   Cela m'amuse de les voir. La récompense est si
grosse, qu'elle les rend presque courageux. Hier, un grand
gaillard à jambes nues m'a suivi un gros quart d'heure au
50 bord de l'eau, sans pouvoir se déterminer à m'assommer. Le
pauvre homme portait une espèce de couteau long comme
une broche ; il le regardait d'un air si penaud qu'il me faisait
pitié — c'était peut-être un père de famille qui mourait de
faim.

55 PHILIPPE.   Ô Lorenzo ! Lorenzo ! ton cœur est très malade.
C'était sans doute un honnête homme ; pourquoi attribuer à
la lâcheté du peuple le respect pour les malheureux ?

LORENZO. Attribuez cela à ce que vous voudrez. Je vais faire un tour au Rialto[1].

Il sort.

60 PHILIPPE, *seul.* Il faut que je le fasse suivre par quelqu'un de mes gens. Holà ! Jean ! Pippo ! holà ! *(Entre un domestique.)* Prenez une épée, vous et un autre de vos camarades, et tenez-vous à une distance convenable du seigneur Lorenzo, de manière à pouvoir le secourir si on l'attaque.

65 JEAN. Oui, monseigneur.

Entre Pippo.

PIPPO. Monseigneur, Lorenzo est mort. Un homme était caché derrière la porte, qui l'a frappé par-derrière, comme il sortait.

PHILIPPE. Courons vite ! Il n'est peut-être que blessé.

70 PIPPO. Ne voyez-vous pas tout ce monde ? Le peuple s'est jeté sur lui. Dieu de miséricorde ! On le pousse dans la lagune.

PHILIPPE. Quelle horreur ! quelle horreur ! Eh quoi ! pas même un tombeau ?

Il sort.

SCÈNE 7.

Florence. — La grande place ; des tribunes publiques sont remplies de monde. Des gens du peuple accourent de tous côtés.

Vive Médicis ! Il est duc, duc ! il est duc.

LES SOLDATS. Gare, canaille !

---

1. *Rialto :* pont de Venise, qui tire son nom du quartier où il est situé. Il ne fut construit qu'un demi-siècle après la mort de Lorenzo.

Le cardinal Cibo, *sur une estrade, à Côme de Médicis.*
Seigneur, vous êtes duc de Florence. Avant de recevoir
5 de mes mains la couronne que le pape et César m'ont
chargé de vous confier, il m'est ordonné de vous faire jurer
quatre choses.

Côme.   Lesquelles, cardinal ?

Le Cardinal.   Faire la justice sans restriction ; ne jamais
10 rien tenter contre l'autorité de Charles Quint ; venger la mort
d'Alexandre, et bien traiter le seigneur Jules et la signora Julia,
ses enfants naturels.

Côme.   Comment faut-il que je prononce ce serment ?

Le Cardinal.   Sur l'Évangile.

Il lui présente l'Évangile.

15 Côme.   Je le jure à Dieu — et à vous, cardinal. Maintenant
donnez-moi la main. *(Ils s'avancent vers le peuple. On entend
Côme parler dans l'éloignement.)*

« Très nobles et très puissants seigneurs,

Le remerciement que je veux faire à Vos très illustres et très
gracieuses Seigneuries, pour le bienfait si haut que je leur
20 dois, n'est pas autre que l'engagement qui m'est bien doux,
à moi si jeune comme je suis, d'avoir toujours devant les
yeux, en même temps que la crainte de Dieu, l'honnêteté et
la justice, et le dessein de n'offenser personne, ni dans les
biens ni dans l'honneur, et, quant au gouvernement des
25 affaires, de ne jamais m'écarter du conseil et du jugement
des très prudentes et très judicieuses Seigneuries auxquelles je
m'offre en tout, et recommande bien dévotement. »

alfᵈ de Musset

Sur l'ensemble de l'acte V

LES SCÈNES VÉNITIENNES

1. La scène 2 est-elle une réplique, une réponse, un prolongement (etc.) de la scène 3 de l'acte III ? Justifiez votre
réponse. Comment comprenez-vous la phrase de Lorenzo :
« Vous voyez bien que je l'ai tué » (l. 121) ? Pourquoi Lorenzo
est-il si durement ironique envers Philippe ?

2. Quelles sont les deux raisons qui poussent Lorenzo à un quasi-
suicide (sc. 6) ? Montrez que Philippe se montre toujours aussi
incapable de comprendre la situation réelle et d'agir efficacement.
Pourquoi la pièce ne se termine-t-elle pas sur la mort de
Lorenzo ?

LES SCÈNES FLORENTINES

3. Le savant équilibre des scènes florentines avec les scènes
vénitiennes, leur alternance, la chronologie de l'ensemble mettent
particulièrement en évidence la leçon politique de la pièce :
montrez-le.

4. Étudiez dans ces scènes les éléments comiques : que nous
amènent-ils à penser de ceux qui, ici, « font l'histoire » ?

5. Quelle image Musset donne-t-il du peuple ? Pensez à cette
phrase de George Sand : « Peuple imbécile, qui [...] porte sur le
pavois ceux qui le ruinent, et qui après tout ne se rend qu'à la
force, et de furieux devient rampant » (lettre du 12 octobre 1830).

6. Comparez la séquence des scènes 3, 4 et 5 avec la structure
des actes I et II. En quoi s'agit-il de montrer une dernière fois la
« vérité » de l'humanité, même là où elle semble avoir une chance
de salut (dans ses enfants, dans l'art) ? Dans cette mesure,
pourquoi le texte initial de la scène 6 (voir p. 231) a-t-il été
supprimé ?

7. Que pensez-vous de la dernière réplique de la pièce (que
Musset emprunte mot pour mot à l'histoire) ?

Documentation thématique

Index des thèmes
principaux de *Lorenzaccio*

L'homme et son meurtre

La pensée du meurtre à commettre, de l'attentat, au nom de la vengeance, au nom de la justice, au nom des victimes de celui ou de ceux qui ont usé de leur pouvoir — pour asservir, tyranniser, humilier, assassiner —, déchire la conscience de celui qui le projette et en assume la responsabilité. Incertitudes, doutes, admiration (voire amour) mêlée à la haine, peur, appréhension ou dégoût physique de la mort, le hantent. Théâtre et roman nous font partager d'autres formes des angoisses et des débats qui torturent Lorenzo. Ils nous confrontent ainsi à des questions fondamentales : l'homme peut-il commettre un tel acte, si juste soit-il, sans en être moralement détruit ? au nom de quoi, plus encore, un meurtre peut-il être justifié ?

Le parricide

Le poète tragique grec Euripide (environ 480 - 406 av. J.-C.) met en scène dans *Électre* la légende d'Oreste.

Celui-ci revient dans Argos pour tuer Clytemnestre et Égisthe (sa mère et l'amant de celle-ci) qui ont assassiné son père (Agamemnon). La sœur d'Oreste, Électre, le pousse à cette juste vengeance.

ÉLECTRE.   C'est ma mère, celle qui m'a conçue.

ORESTE.   Ah ! quelle magnificence dans son char et ses vêtements !

ÉLECTRE.   C'est en beauté qu'elle vient se jeter dans nos filets.

ORESTE.   Que faire ? C'est notre mère. Allons-nous l'égorger ?

ÉLECTRE.   Es-tu pris de pitié, à la vue de ta mère ?

ORESTE.   Hélas ! Comment tuer celle qui m'a mis au monde et nourri ?

ÉLECTRE.   Comme elle a fait périr ton père et le mien.

ORESTE.   Ô Phoibos, quel oracle insensé as-tu rendu...

ÉLECTRE.   Si Apollon est insensé, qui est sage ?

ORESTE.   ... En m'ordonnant le meurtre abominable de ma mère !

ÉLECTRE.   À quel mal t'exposes-tu en vengeant ton père ?

ORESTE.   On m'accusera de parricide, et j'étais pur.

ÉLECTRE.   En ne vengeant pas ton père, tu seras impie.

ORESTE.   Je paierai à ma mère le sang versé ; je serai châtié.

ÉLECTRE.   Mais qui te punira, si tu ne venges pas ton père ?

ORESTE.   N'est-ce pas un mauvais démon qui m'a parlé sous les traits du dieu ?

ÉLECTRE.   Assis sur le trépied sacré ? Pour moi, je ne le pense pas.

ORESTE.   Je ne pourrai jamais croire que cet oracle est juste.

ÉLECTRE.   Prends garde de faiblir et de tomber dans la lâcheté. Va ! Tends-lui le même piège qu'elle a tendu à son mari pour le faire périr avec l'aide d'Égisthe.

ORESTE.   J'entre. Terrible est l'entreprise où je m'engage, terrible l'acte que je vais accomplir. Si telle est la volonté des dieux, soit. Mais combien amère et sans douceur est pour moi cette prouesse.

> Euripide, *Électre* (413 av. J.-C.), vers 965 à 987,
> traduction de H. Berguin, Garnier-Flammarion, 1965.

Serais-je lâche ?

On a très souvent rapproché *Lorenzaccio* d'*Hamlet*. Mais on pourra juger par ce passage que les ressemblances se situent plus dans l'écriture que dans le caractère et les débats du héros.

HAMLET *(seul)*.   Comme toutes les circonstances déposent contre moi ! Comme elles éperonnent ma vengeance rétive !

Qu'est-ce que l'homme, si le bien suprême, l'aubaine de sa vie est uniquement de dormir et de manger... Une bête, rien de plus. Certes celui qui nous a faits avec cette vaste intelligence, avec ce regard dans le passé et dans l'avenir, ne nous a pas donné cette capacité, cette raison divine, pour qu'elles moisissent en nous inactives. Eh bien ! est-ce l'effet d'un oubli bestial ou d'un scrupule poltron qui me fait réfléchir trop précisément aux conséquences, réflexion qui, mise en quatre, contient un quart de sagesse et trois quarts de lâcheté ?... Je ne sais pas pourquoi j'en suis encore à me dire : ceci est à faire ; puisque j'ai motif, volonté, force et moyen de le faire. Des exemples, gros comme la terre, m'exhortent : témoin cette armée aux masses imposantes, conduite par un prince délicat et adolescent, dont le courage, enflé d'une ambition divine, fait la grimace à l'invisible événement, et qui expose une existence mortelle et fragile à tout ce que peuvent oser la fortune, la mort et le danger, pour une coquille d'œuf !... Pour être vraiment grand, il faut ne pas s'émouvoir sans de grands motifs ; mais il faut aussi trouver grandement une querelle dans un brin de paille, quand l'honneur est en jeu. Que suis-je donc moi qui ai l'assassinat d'un père, le déshonneur d'une mère, pour exciter ma raison et mon sang, et qui laisse tout dormir ? Tandis qu'à ma honte je vois vingt mille hommes marcher à une mort imminente, et, pour une fantaisie, pour une gloriole, aller au sépulcre comme au lit, se battant pour un champ, où il leur est impossible de se mesurer tous et qui est une tombe trop étroite pour couvrir les tués ! Oh ! que désormais mes pensées soient sanglantes, pour n'être pas dignes du néant ! *(Il sort.)*

Shakespeare, *Hamlet* (acte IV, sc. 4), 1601,
traduction de François-Victor Hugo, rééd. Garnier, 1961.

Dilemme

La tragédie de *Cinna* est une tragédie politique. Émilie, qui aime Cinna, a cependant juré de ne lui donner sa main que le jour où elle sera vengée de l'empereur Auguste, meurtrier de son père et tyran de Rome. Mais Auguste se montre généreux envers Cinna, et, fatigué du pouvoir, prêt à abdiquer ; Cinna est alors en proie au doute.

Cinna, seul, répond à la dernière réplique de son ami Maxime qui a traité son irrésolution de « faiblesse ».

CINNA *(seul)*.

Donne un plus digne nom au glorieux empire
Du noble sentiment que la vertu m'inspire,
Et que l'honneur oppose au coup précipité
De mon ingratitude et de ma lâcheté,
Mais plutôt continue à le nommer faiblesse,
Puisqu'il devient si faible auprès d'une maîtresse,
Qu'il respecte un amour qu'il devrait étouffer,
Ou que, s'il le combat, il n'ose en triompher.
En ces extrémités quel conseil dois-je prendre ?
De quel côté pencher ? à quel parti me rendre ?
Qu'une âme généreuse a de peine à faillir !
Quelque fruit que par là j'espère de cueillir,
Les douceurs de l'amour, celles de la vengeance,
La gloire d'affranchir le lieu de ma naissance,
N'ont point assez d'appas pour flatter ma raison,
S'il les faut acquérir par une trahison,
S'il faut percer le flanc d'un prince magnanime
Qui du peu que je suis fait une telle estime,
Qui me comble d'honneurs, qui m'accable de biens,
Qui ne prend pour régner de conseils que les miens.
Ô coup ! ô trahison trop indigne d'un homme !
Dure, dure à jamais l'esclavage de Rome !
Périsse mon amour, périsse mon espoir,
Plutôt que de ma main parte un crime si noir !
Quoi ? ne m'offre-t-il pas tout ce que je souhaite,
Et qu'au prix de son sang ma passion achète ?
Pour jouir de ses dons faut-il l'assassiner ?
Et faut-il lui ravir ce qu'il me veut donner ?
Mais je dépends de vous, ô serment téméraire,
Ô haine d'Émilie, ô souvenir d'un père !
Ma foi, mon cœur, mes bras, tout vous est engagé,

Et je ne puis plus rien que par votre congé :
C'est à vous à régler ce qu'il faut que je fasse ;
C'est à vous, Émilie, à lui donner sa grâce ;
Vos seules volontés président à son sort,
Et tiennent en mes mains et sa vie et sa mort.
Ô dieux, qui comme vous la rendez adorable,
Rendez-la, comme vous, à mes vœux exorable ;
Et puisque de ses lois je ne puis m'affranchir,
Faites qu'à mes désirs je la puisse fléchir.
Mais voici de retour cette aimable inhumaine.

Corneille, Cinna (acte III, sc. 3), 1642.

Le vengeur

Proscrit, banni, Hernani, grand d'Espagne dont le père fut autrefois exécuté sur l'ordre du roi don Carlos (le futur Charles Quint), s'est fait bandit d'honneur pour pouvoir se venger. Et voilà que, venu voir la femme qu'il aime, doña Sol, il trouve auprès d'elle don Carlos et découvre que ce dernier est aussi son rival en amour. Tous deux sont surpris par don Ruy Gomez, l'oncle de doña Sol qui prétend l'épouser. Pour calmer la colère de don Ruy Gomez, le roi se fait reconnaître et sauve Hernani (dont il ignore la véritable identité) en le faisant passer pour quelqu'un de sa suite.

Hernani, seul.

Oui, de ta suite, ô roi ! de ta suite ! — J'en suis !
Nuit et jour, en effet, pas à pas, je te suis.
Un poignard à la main, l'œil fixé sur ta trace,
Je vais. Ma race en moi poursuit en toi ta race.
Et puis, te voilà donc mon rival ! Un instant
Entre aimer et haïr je suis resté flottant ;
Mon cœur pour elle et toi n'était point assez large,
J'oubliais en l'aimant ta haine qui me charge ;
Mais, puisque tu le veux, puisque c'est toi qui viens
Me faire souvenir, c'est bon, je me souviens !
Mon amour fait pencher la balance incertaine

Et tombe tout entier du côté de ma haine.
Oui, je suis de ta suite, et c'est toi qui l'as dit !
Va, jamais courtisan de ton lever maudit,
Jamais seigneur baisant ton ombre, ou majordome
Ayant à te servir abjuré son cœur d'homme,
Jamais chiens de palais dressés à suivre un roi
Ne seront sur tes pas plus assidus que moi !
Ce qu'ils veulent de toi, tous ces grands de Castille,
C'est quelque titre creux, quelque hochet qui brille,
C'est quelque mouton d'or qu'on se va pendre au cou ;
Moi, pour vouloir si peu je ne suis pas si fou !
Ce que je veux de toi, ce n'est point faveurs vaines,
C'est l'âme de ton corps, c'est le sang de tes veines,
C'est tout ce qu'un poignard, furieux et vainqueur,
En y fouillant longtemps peut prendre au fond d'un cœur.
Va devant ! je te suis. Ma vengeance qui veille
Avec moi toujours marche et me parle à l'oreille.
Va ! je suis là, j'épie et j'écoute, et sans bruit
Mon pas cherche ton pas et le presse et le suit.
Le jour tu ne pourras, ô roi, tourner la tête
Sans me voir immobile et sombre dans ta fête ;
La nuit tu ne pourras tourner les yeux, ô roi,
Sans voir mes yeux ardents luire derrière toi !
(Il sort par la petite porte.)

Victor Hugo, *Hernani* (acte I, sc. 4), 1830.

Le terroriste

Ce roman se déroule à Shangai (Chang-hai), dans la Chine de 1927 en proie à la guerre civile entre les réactionnaires, les communistes et les partisans libéraux de Tchang Kaï-chek (Jiang Jieshi). Celui-ci soutient les communistes dans leur insurrection, pour pouvoir prendre la ville aux réactionnaires, mais les communistes savent qu'il se retournera ensuite contre eux. L'anarchiste Tchen a décidé, lui, seul, de l'assassiner pour permettre la victoire des forces révolutionnaires : porteur d'une bombe, il se jettera sur sa voiture...

10 heures et demie

« Pourvu que l'auto ne tarde plus », pensa Tchen. Dans l'obscurité complète, il n'eût pas été aussi sûr de son coup, et les derniers réverbères allaient bientôt s'éteindre. La nuit désolée de la Chine des rizières et des marais avait gagné l'avenue presque abandonnée. Les lumières troubles des villes de brume qui passaient par les fentes des volets entrouverts, à travers les vitres bouchées, s'éteignaient une à une ; les derniers reflets s'accrochaient aux rails mouillés, aux isolateurs du télégraphe ; ils s'affaiblissaient de minute en minute ; bientôt Tchen ne les vit plus que sur les pancartes verticales couvertes de caractères dorés. Cette nuit de brume était sa dernière nuit, et il en était satisfait. Il allait sauter avec la voiture, dans un éclair en boule qui illuminerait une seconde cette avenue hideuse et couvrirait un mur d'une gerbe de sang. La plus vieille légende chinoise s'imposa à lui : les hommes sont la vermine de la terre. Il fallait que le terrorisme devînt une mystique. Solitude, d'abord : que le terroriste décidât seul, exécutât seul ; toute la force de la police est dans la délation ; le meurtrier qui agit seul ne risque pas de se dénoncer lui-même. Solitude dernière, car il est difficile à celui qui vit hors du monde de ne pas rechercher les siens. Tchen connaissait les objections opposées au terrorisme : répression policière contre les ouvriers, appel au fascisme. La répression ne pourrait être plus violente, le fascisme plus évident. Et peut-être Kyo et lui ne pensaient-ils pas pour les mêmes hommes. Il ne s'agissait pas de maintenir dans leur classe, pour la délivrer, les meilleurs des hommes écrasés, mais de donner un sens à leur écrasement même : que chacun s'instituât responsable et juge de la vie d'un maître. Donner un sens immédiat à l'individu sans espoir et multiplier les attentats non par une organisation, mais par une idée : faire renaître des martyrs. Peï, écrivant, serait écouté parce que lui, Tchen, allait mourir : il savait de quel poids pèse sur toute pensée le sang versé pour elle. Tout ce qui n'était pas son geste résolu se décomposait dans la nuit derrière laquelle restait embusquée cette automobile qui arriverait bientôt. La brume, nourrie par la fumée des navires, détruisait peu à peu au fond de l'avenue les trottoirs pas encore vides : des passants affairés y marchaient l'un derrière l'autre, se dépassant rarement, comme si la guerre eût imposé à la ville un ordre tout-puissant. Le silence général de leur marche rendait leur agitation presque fantastique. Ils ne portaient pas de paquets, d'éventaires, ne poussaient pas de petites voitures ; cette nuit, il semblait que leur activité n'eût aucun but. Tchen regardait toutes ces ombres qui coulaient sans bruit vers le fleuve, d'un mouvement inexplicable et constant ; n'était-ce pas le Destin même, cette force qui les poussait vers le fond de l'avenue où l'arc allumé d'enseignes à peine visibles devant les ténèbres du fleuve semblait les portes mêmes de la mort ? Enfoncés en perspectives troubles, les énormes caractères se perdaient dans ce monde tragique et flou comme dans les siècles ; et, de même que si elle fût venue, elle aussi, non de l'état-major mais des temps bouddhiques, la trompe militaire de l'auto de Tchang Kaï-chek commença à retentir sourdement au fond de la chaussée presque déserte. Tchen serra la bombe sous son bras avec reconnaissance. Les phares seuls sortaient de la brume. Presque aussitôt, précédée de la Ford de garde, la voiture entière en jaillit ; une fois de plus il sembla à Tchen qu'elle avançait extraordinairement vite. Trois pousses obstruèrent soudain la rue, et les deux autos ralentirent. Il essaya de retrouver le contrôle de sa respiration. Déjà l'embarras était dispersé. La Ford passa, l'auto arrivait : une grosse voiture américaine, flanquée des deux policiers accrochés à ses marchepieds ; elle donnait une telle impression de force que Tchen sentit que, s'il n'avançait pas, s'il attendait, il s'en écarterait malgré lui. Il prit sa bombe par l'anse comme une bouteille de lait. L'auto du général était à cinq mètres, énorme. Il courut vers elle avec une joie d'extatique, se jeta dessus, les yeux fermés.

André Malraux, la Condition humaine, Gallimard, 1946.

La mort, c'est sale...

Dans *les Mains sales*, J.-P. Sartre a voulu mettre en scène une problématique politique : « la fin et les moyens, la légitimité de la violence, les conséquences de l'action, les rapports de la personne avec la collectivité, de l'entreprise individuelle avec les constantes historiques » (Geneviève Idt, *Dictionnaire des littératures,* Bordas, 1984).

Hugo, jeune intellectuel communiste, a été placé par le Parti auprès de Hoederer comme secrétaire, avec pour mission secrète de le tuer. Or il tarde à agir. Une militante vient de lancer une bombe dans le bureau de Hoederer, mais seul un des hommes présents a été légèrement blessé. La femme de Hugo, Jessica, veut savoir ce qu'il va faire.

JESSICA.   Tu vas tuer un homme.
Hugo se met à rire.
JESSICA.   Pourquoi ris-tu ?
HUGO.   Tu y crois à présent ! Tu t'es décidée à y croire ?
JESSICA.   Oui.
HUGO.   Tu as bien choisi ton moment : personne n'y croit plus. *(Un temps.)* Il y a huit jours, ça m'aurait peut-être aidé...
JESSICA.   Ce n'est pas ma faute : je ne crois que ce que je vois. Ce matin encore, je ne pouvais même pas imaginer qu'il meure. *(Un temps.)* Je suis entrée dans le bureau tout à l'heure, il y avait le type qui saignait et vous étiez tous des morts. Hoederer, c'était un mort ; je l'ai vu sur son visage ! Si ce n'est pas toi qui le tues, ils enverront quelqu'un d'autre.
HUGO.   Ce sera moi. *(Un temps.)* Le type qui saignait, c'était sale, hein ?
JESSICA.   Oui. C'était sale.
HUGO.   Hoederer aussi va saigner.
JESSICA.   Tais-toi.
HUGO.   Il sera couché par terre avec un air idiot et il saignera dans ses vêtements.
JESSICA, *d'une voix lente et basse.*   Mais tais-toi donc.
HUGO.   Elle a jeté un pétard contre le mur. Il n'y a pas de quoi être fière : elle ne nous voyait même pas. N'importe qui peut tuer si on ne l'oblige pas à voir ce qu'il fait. J'allais tirer,

moi. J'étais dans le bureau, je les regardais en face et j'allais tirer ; c'est elle qui m'a fait manquer mon coup.

JESSICA.   Tu allais tirer pour de bon ?

HUGO.   J'avais la main dans ma poche et le doigt sur la gâchette.

JESSICA.   Et tu allais tirer ! Tu es sûr que tu aurais pu tirer ?

HUGO.   Je... j'avais la chance d'être en colère. Naturellement, j'allais tirer. À présent tout est à recommencer. *(Il rit.)* Tu l'as entendue : ils disent que je suis un traître. Ils ont beau jeu : là-bas, quand ils décident qu'un homme va mourir, c'est comme s'ils rayaient un nom sur un annuaire : c'est propre, c'est élégant. Ici, la mort est une besogne. Les abattoirs, c'est ici. *(Un temps.)* Il boit, il fume, il me parle du Parti, il fait des projets et moi je pense au cadavre qu'il sera, c'est obscène. Tu as vu ses yeux ?

JESSICA.   Oui.

HUGO.   Tu as vu comme ils sont brillants et durs ? Et vifs ?

JESSICA.   Oui.

HUGO.   C'est peut-être dans ses yeux que je tirerai. On vise le ventre, tu sais, mais l'arme se relève.

JESSICA.   J'aime ses yeux.

HUGO, *brusquement.*   C'est abstrait.

JESSICA.   Quoi ?

HUGO.   Un meurtre, je dis que c'est abstrait. Tu appuies sur la gâchette et après ça tu ne comprends plus rien à ce qui arrive. *(Un temps.)* Si l'on pouvait tirer en détournant la tête. *(Un temps.)* Je me demande pourquoi je te parle de tout ça.

JESSICA.   Je me le demande aussi.

HUGO.   Je m'excuse. *(Un temps.)* Pourtant si j'étais dans ce lit, en train de crever, tu ne m'abandonnerais tout de même pas ?

JESSICA.   Non.

HUGO.   C'est la même chose ; tuer, mourir, c'est la même chose : on est aussi seul. Il a de la veine, lui, il ne mourra qu'une fois. Moi, voilà dix jours que je le tue, à chaque minute. *(Brusquement.)* Qu'est-ce que tu ferais, Jessica ?

221

JESSICA.   Comment ?

HUGO.   Écoute : si demain je n'ai pas tué, il faut que je disparaisse ou alors que j'aille les trouver et que je leur dise : faites de moi ce que vous voudrez. Si je tue... *(Il se cache un instant le visage avec la main.)* Qu'est-ce qu'il faut que je fasse ? Que ferais-tu ?

JESSICA.   Moi ? Tu me le demandes à moi ce que je ferais à ta place ?

HUGO.   À qui veux-tu que je le demande ? Je n'ai plus que toi au monde.

JESSICA.   C'est vrai. Tu n'as plus que moi. Plus que moi. Pauvre Hugo. *(Un temps.)* J'irais trouver Hoederer et je lui dirais : voilà, on m'a envoyé ici pour vous tuer, mais j'ai changé d'avis et je veux travailler avec vous.

HUGO.   Pauvre Jessica !

JESSICA.   Ce n'est pas possible ?

HUGO.   C'est justement ça qui s'appellerait trahir.

JESSICA, *tristement*.   Tu vois ! Je ne peux rien te dire. *(Un temps.)* Pourquoi n'est-ce pas possible ? Parce qu'il n'a pas tes idées ?

HUGO.   Si tu veux. Parce qu'il n'a pas mes idées.

JESSICA.   Et il faut tuer les gens qui n'ont pas vos idées ?

HUGO.   Quelquefois.

JESSICA.   Mais pourquoi as-tu choisi les idées de Louis et d'Olga ?

HUGO.   Parce qu'elles étaient vraies.

JESSICA.   Mais, Hugo, suppose que tu aies rencontré Hoederer l'an dernier, au lieu de Louis. Ce sont ses idées à lui qui te sembleraient vraies.

HUGO.   Tu es folle.

Jean-Paul Sartre, les Mains sales
(V^e tableau, sc. 2), Gallimard, 1948.

Annexes

Sources et intertextes

Dès la première édition de la pièce en 1834, Musset cite en annexe un fragment de la *Storia fiorentina* de Benedetto Varchi (1503-1565), en italien. Cette citation du chroniqueur florentin garantit le statut de drame historique de la pièce, et montre que Musset ne craint pas la confrontation avec l'histoire réelle. Cette procédure de légitimation de la fiction est fort « classique » : Corneille et Racine l'utilisaient aussi dans leurs préfaces.

Mais, comme pour Racine, il est aussi des sources sur lesquelles on se tait, et qui n'en sont pas moins importantes. Outre *Une conjuration en 1537,* esquisse si obligeamment fournie par G. Sand, il faut citer ceux que Musset admirait : Shakespeare avec *Hamlet* (1601), le dramaturge allemand Schiller avec *la Conjuration de Fiesque* (1783), le poète anglais Byron (1788-1824). Il ne faut pas oublier non plus que les Médicis apparaissent dans *Henri III et sa cour* de A. Dumas (1829), et que V. Hugo peignait, dans *Le roi s'amuse* (1832), un prince corrupteur et débauché, ce qui lui valut l'interdiction immédiate de représentation. Enfin, Musset a pu lire avec profit *la Congiura dei Pazzi* du dramaturge italien Alfieri (1749-1803), ou *Lorenzino de Médicis, nouvelle florentine* publié en 1832 dans le tome III de *Salmigondis ou Nouvelles de toutes les couleurs,* ou encore la *Lucrèce Borgia* de V. Hugo (parue au début de 1833).

La *Storia fiorentina*

Ce fragment est paru, traduit par Paul de Musset, dans son édition des *Amis du poète* (t. III, 1865-1866).

La nuit était venue, que le destin avait marquée pour être celle de la mort malheureuse du duc Alexandre. Ce fut entre cinq et six heures, le samedi de l'Épiphanie, et le 6 janvier de l'année 1536 (selon la manière de compter le temps des Florentins, qui prennent pour la première heure du jour celle qui suit le coucher du soleil). Le duc n'avait pas encore achevé sa vingt-sixième année. Cette mort, dont on a parlé et écrit diversement, je la raconterai avec la plus entière véracité, en ayant entendu le récit de la bouche même de Lorenzo, dans la villa Paluello située à huit milles de Padoue ainsi que de la bouche même de Scoronconcolo dans la maison des Strozzi à Venise. Si l'on peut parler d'un tel fait avec certitude, c'est assurément lorsqu'on le tient de ces hommes, et non d'autres, en supposant qu'ils l'aient voulu raconter sans mentir, comme je pense qu'ils l'ont fait. Mais il est nécessaire de commencer par donner quelques détails sur la vie et les mœurs dudit Lorenzo.

Il naquit à Florence en 1514, le 24 mars. Son père était Pierre-François de Médicis, fils de Lorenzo, et petit-neveu de Lorenzo, frère de Côme ; et sa mère, Mme Marie, fille de Thomas Soderini, fils de Paul-Antoine. Cette femme, d'une rare prudence et bonté, ayant perdu son mari quand Lorenzo était encore en bas âge, fit élever cet enfant avec tous les soins imaginables. Lorenzo manifesta une intelligence incroyable dans ses études ; mais à peine fut-il sorti de la tutelle de sa mère et de ses maîtres, qu'il commença à montrer un esprit inquiet, insatiable et désireux de mal faire. Après avoir pris des leçons de Philippe Strozzi, il se mit à se railler ouvertement de toutes les choses divines et humaines. Au lieu de rechercher ses égaux, il se lia de préférence avec des gens au-dessous de lui et qui non seulement lui témoignaient du respect, mais se faisaient ses âmes damnées. Il passait toutes ses envies, surtout en affaire d'amour, sans égard pour le sexe, l'âge et la condition des personnes. Il caressait tout le monde, et, au fond, méprisait tous les hommes. Son appétit de célébrité était étrange, et il ne laissait pas échapper une seule occasion, tant en actions qu'en paroles, d'acquérir la réputation d'homme galant ou spirituel. Comme il était délicat et maigre de corps, on l'appelait Lorenzino. Il ne riait point et souriait seulement. Bien qu'il fût plutôt agréable que beau, ayant le visage brun et l'air mélancolique, il plut cependant beaucoup, dans sa petite jeunesse, au pape Clément, ce qui ne l'empêcha point, comme il l'a dit lui-même après la mort du duc Alexandre, de concevoir la pensée de tuer le Saint-Père. Il conduisit François fils de Raphaël de Médicis, compétiteur du pape, jeune homme instruit et de grande espérance, à un tel état de ruine, que ce malheureux, devenu la fable de la cour de Rome, fut considéré comme fou et renvoyé à Florence. Dans le même temps, Lorenzo encourut la disgrâce du pape et devint un objet de haine pour le peuple romain ; on trouva un matin, sur l'arc de Constantin et en d'autres lieux de la ville, quantité de figures antiques privées de leurs têtes. Clément en ressentit tant de colère, qu'il déclara, ne pensant guère à Lorenzo, que l'auteur de ce délit serait pendu par le cou, sans forme de procès, quel qu'il fût, à moins pourtant que le cardinal-neveu ne se trouvât être le coupable. Le cardinal, ayant découvert que l'auteur était Lorenzo, s'en alla intercéder en sa faveur près du Saint-Père, en le représentant comme un jeune amateur passionné d'objets d'art, à l'exemple de leurs aïeux les Médicis. À grand-peine le cardinal réussit à calmer le ressentiment du pape, qui appela Lorenzo la honte et l'opprobre de sa maison. Ledit Lorenzo fut banni de Rome, sous peine de mort, si on l'y reprenait, par deux décrets dont l'un émané du tribunal de Caporioni, et messer [messire] François-Marie Molza, homme de grande éloquence, versé dans les lettres grecques, latines et italiennes, prononça, dans l'Académie romaine, un discours où il accabla Lorenzo des plus belles malédictions qu'il put trouver en latin.

Lorenzo, étant retourné à Florence, se mit à faire sa cour au duc Alexandre, et il sut si bien feindre, et si bien complaire au duc, en toutes choses, qu'il alla jusqu'à lui persuader que, pour le service de ce prince, il jouait le rôle d'espion ; et, en effet, il entretenait des relations secrètes avec les bannis, et chaque jour il communiquait au duc quelques lettres de ces bannis ; et comme il se montrait lâche au point de n'oser ni porter ni toucher une arme, ni même en entendre parler, le duc s'amusait beaucoup de sa poltronnerie. Tant parce que Lorenzo étudiait et lisait, que parce qu'il allait souvent seul et paraissait mépriser la fortune et les honneurs, le duc l'appelait le Philosophe, tandis que d'autres, le connaissant mieux, le nommaient « Lorenzaccio ». En toute occasion, Alexandre le favorisait, et particulièrement contre son second cousin Côme, auquel le duc portait une haine extrême, dont l'origine, outre leur complète dissemblance de mœurs et de caractère, était un procès important que Côme avait intenté à ce prince, touchant l'héritage de leurs ancêtres. De toutes ces choses, il arriva que le duc prit une confiance extrême en Lorenzo, et qu'il se servit de lui comme d'entremetteur près des femmes, tant religieuses que laïques, vierges, mariées ou veuves, nobles ou roturières, jeunes ou expérimentées et, non content de cela, il voulut encore que Lorenzo lui procurât une sœur de sa mère du côté paternel, jeune femme d'une merveilleuse beauté, mais aussi honnête que belle, laquelle était mariée à Léonard Ginori et demeurait non loin de la porte de derrière du palais de Médicis.

Lorenzo, qui attendait une occasion de ce genre, fit entendre au duc que l'entreprise offrirait des difficultés, mais qu'il ferait son possible pour réussir, disant qu'en somme toutes les femmes étaient femmes, et que, d'ailleurs, le mari de celle-ci se trouvait fort à propos à Naples dans le moment présent, pour des affaires embarrassantes, car il avait dissipé son bien. Quoique Lorenzo n'eût parlé de rien à sa tante, il ne laissait pas de dire au duc qu'il l'avait fait, et qu'il la trouvait rebelle ; mais que pourtant il viendrait à bout de la séduire et de l'obliger à condescendre à leurs désirs. Tandis qu'il amusait ainsi le duc, il travaillait l'esprit d'un certain Michel del Toralaccino, surnommé Scoronconcolo, auquel il avait fait obtenir grâce de la vie, pour un homicide par lui commis ; et, raisonnant avec cet homme, il se plaignait à lui d'un courtisan qui, disait-il, l'avait offensé sans raison, et s'était joué de lui, et il ajoutait que, par le ciel !... Mais Scoronconcolo, l'interrompant, lui dit tout à coup : « Nommez-le seulement, et laissez-moi faire ; il ne vous donnera plus d'ennui. » Il le supplia de dire qui était son ennemi ; à quoi Lorenzo répondit : « Hélas ! je ne le puis : c'est un favori du duc. — Qui que ce soit, dites toujours », reprenait Scoronconcolo ; et, dans le langage dont se servent habituellement les spadassins de cette espèce, il s'écria : « Je le tuerai, quand ce serait le Christ ! »

Voyant, par là, que ses manœuvres réussissaient, Lorenzo

emmena un jour cet homme dîner avec lui, comme il le faisait souvent, malgré les remontrances de sa mère, et il dit à Scoronconcolo : « Or çà, puisque tu me promets si résolument de m'assister, je crois que tu ne me manqueras pas, comme, de mon côté, je te rendrai service en tout ce qui dépendra de moi, et je suis satisfait de tes offres que j'accepte. Mais je veux être de la partie, et afin que nous puissions faire le coup et nous sauver après, j'aviserai à conduire mon ennemi dans un lieu où nous ne courrons aucun risque, et je suis sûr que nous réussirons. » Comme la nuit que j'ai dite plus haut parut à Lorenzo le moment favorable, d'autant que le seigneur Alexandre Vitelli se trouvait parti ce jour-là pour Città-di-Castello, il parla bas à l'oreille du duc après souper, et il lui dit qu'enfin, par des promesses d'argent, il avait décidé sa tante, et que le duc pouvait venir seul, à l'heure convenue et avec précaution, dans sa chambre à lui, Lorenzo, en prenant garde, pour l'honneur de la dame, que personne ne le vît ni entrer ni sortir, et que sitôt que le prince y serait, incontinent il irait chercher Catherine Ginori. Le duc, ayant mis un grand vêtement de satin à la napolitaine et garni de zibeline, au moment de prendre ses gants, qui étaient les uns de mailles et les autres de peau parfumée, réfléchit un peu et dit : « Lesquels prendrai-je, ceux de guerre ou ceux de bonne fortune ? » Quand il eut pris ceux-ci, le duc sortit, accompagné seulement de trois personnes, Giomo le Hongrois, le capitaine Justinien de Cesena, et un officier de bouche nommé Alexandre. Arrivé sur la place de Saint-Marc, où il était venu pour ne pas être épié, il les congédia, disant qu'il voulait aller seul et ne retint avec lui que le Hongrois, lequel entra dans la maison des Sosteguir située presque en face de celle de Lorenzo, avec l'ordre du prince de ne bouger ni se montrer, quelque personne qu'il vît entrer ou sortir. Mais le Hongrois, ayant demeuré là un bon bout de temps, retourna au palais et s'endormit dans l'appartement du duc. En arrivant dans la chambre de Lorenzo, où un grand feu était allumé, le prince ôta son épée. Tandis qu'il se couchait sur le lit, Lorenzo s'empara de l'épée, en liant prestement la garde avec le ceinturon, de manière à empêcher la lame de sortir aisément du fourreau, puis il la posa sur le chevet du lit, en disant au duc de se reposer ;

après quoi il sortit et laissa tomber derrière lui la porte, qui était de celles qui se ferment d'elles-mêmes. Il s'en alla trouver Scoronconcolo, et d'un air tout à fait content : « Frère, lui dit-il, voici le moment ; j'ai enfermé mon ennemi dans ma chambre, et il dort. — Allons-y », répondit Scoronconcolo. Sur le palier de l'escalier, Lorenzo se retourna et dit : « Ne t'inquiète pas, si c'est un ami du duc ; et tâche de bien faire. — Ainsi ferai-je, répondit l'ami, quand ce serait le duc lui-même. — Grâce à notre embuscade, reprit Lorenzo d'un ton joyeux, il ne peut plus nous échapper ; marchons. — Marchons donc », répondit Scoronconcolo.

Lorsqu'il eut soulevé le loquet qui retomba, et ne s'ouvrit pas du premier coup, Lorenzo entra dans la chambre, et dit : « Seigneur, dormez-vous ? » Prononcer ces mots et percer le duc de part en part d'un coup de dague, fut une seule et même chose. Cette blessure était mortelle, car elle avait traversé les reins et perforé cette membrane appelée diaphragme qui, semblable à une ceinture, divise le corps humain en deux parties, l'une supérieure où se trouvent le cœur et les autres organes du sentiment, l'autre inférieure où sont le foie et les organes de la nutrition et de la génération. Le duc, qui dormait ou feignait de dormir, se tenait le visage tourné vers le fond. Il bondit sur le lit en recevant cette blessure, et sortit du côté de la ruelle, cherchant à gagner la porte, et se faisant un bouclier d'un escabeau qu'il avait saisi. Mais Scoronconcolo lui donna une taillade au visage qui lui fendit la tempe et une grande partie de la joue gauche. Lorenzo le repoussa sur le lit et l'y tint renversé en pesant sur lui de tout le poids de son corps ; et afin de l'empêcher de crier il lui serra la bouche avec le pouce et l'index de la main gauche, en lui disant : « Seigneur, n'en doutez pas. » Alors le duc, se débattant comme il pouvait, prit entre ses dents le pouce de Lorenzo et le serra avec une telle rage que Lorenzo tombant sur lui appela Scoronconcolo à son aide. Celui-ci courait d'un côté et de l'autre, et il ne pouvait atteindre le duc, sans blesser du même coup Lorenzo, que le duc tenait étroitement embrassé. Scoronconcolo essaya d'abord de faire passer son épée entre les jambes de Lorenzo, sans autre résultat que de piquer le matelas ; enfin il prit un couteau qu'il avait par hasard sur lui, et l'ayant fixé sur le cou de la victime, il appuya si fort que le duc fut égorgé. Après sa mort, ils lui firent encore quelques blessures qui versèrent tant de sang que la chambre en devint comme un lac. C'est une chose à remarquer que, pendant tout ce temps où il était tenu par Lorenzo et où il voyait Scoronconcolo tourner et se démener pour le tuer, le duc ne poussa ni un cri ni une plainte, et ne lâcha point ce doigt qu'il serrait entre ses dents avec fureur. En mourant, il avait glissé à terre ; ses meurtriers le relevèrent tout souillé de sang, et l'ayant posé sur le lit, ils recouvrirent son corps avec la tenture qu'il avait fermée lui-même avant de s'endormir ou d'en faire semblant. On a supposé qu'il s'était ainsi enfermé à dessein, parce que, sachant bien qu'il était incapable d'en user convenablement avec cette Catherine qu'il attendait, laquelle passait pour une personne savante et d'esprit, il voulait éviter, par ce moyen, les préliminaires et belles paroles. Lorenzo, lorsqu'il vit le duc en l'état qu'il souhaitait, tant pour s'assurer qu'on n'avait rien entendu que pour se reposer et reprendre ses esprits, car il se sentait rompu et accablé de fatigue, se mit à l'une des fenêtres qui donnaient sur la via larga. Quelques personnes de la maison avaient entendu du bruit et des trépignements de pieds, entre autres Mme Marie, mère du seigneur Côme ; mais nul ne s'en était ému, car depuis longtemps, et par précaution, Lorenzo avait pris l'habitude d'amener dans cette chambre, comme font parfois les mauvais plaisants, une troupe de gens qui feignaient de se quereller et couraient çà et là, criant : « Frappe-le ! tue-le ! Ah ! traître ! tu m'as tué ! » et autres vociférations semblables.

Le texte
et ses représentations

De 1834 à 1853

Le texte paraît pour la première fois en août 1834 dans la « seconde livraison, prose » (la première regroupait deux pièces en vers et un poème) de *Un spectacle dans un fauteuil* (Librairie de *la Revue des Deux Mondes*). Le manuscrit original est conservé dans les archives de la Comédie-Française. On dispose aussi de trois plans préparatoires et de deux scènes non insérées dans le drame, conservés à la bibliothèque Lovenjoul (à Chantilly). Le texte de George Sand, *Une conjuration en 1537,* se trouve au même endroit. On peut donc suivre de près l'élaboration du drame.

Le texte présenté ici est celui de la dernière édition revue et corrigée par l'auteur (c'est-à-dire celle de 1853) du théâtre complet, sous le titre *Comédies et Proverbes.* L'édition datée de 1856 n'en est qu'une réimpression. Les variantes entre le texte de 1834 et celui de 1853 sont assez nombreuses, mais sur des points de détail. La seule différence importante est la suppression d'une très courte scène de l'acte V (l'ancienne scène 6) qui avait figuré dans toutes les éditions précédentes.

La scène 6 de l'acte V : première version

Cette scène montre les étudiants révoltés réclamant une élection démocratique pour désigner le successeur d'Alexandre, et luttant contre les soldats. Les « boules » que Musset semble assimiler à un moyen de vote étaient en fait, selon Benedetto Varchi, le symbole des Médicis (trois boules figuraient sur leurs armes).

Florence. − Une rue.
Entrent des ÉTUDIANTS *et* des SOLDATS.

UN ÉTUDIANT. Puisque les grands seigneurs n'ont que des langues, ayons des bras. Holà, les boules ! les boules ! Citoyens de Florence, ne laissons pas élire un duc sans voter.

UN SOLDAT. Vous n'aurez pas les boules ; retirez-vous.

L'ÉTUDIANT. Citoyens, venez ici ; on méconnaît vos droits, on insulte le peuple. *(Un grand tumulte.)*

LES SOLDATS. Gare ! Retirez-vous.

UN AUTRE ÉTUDIANT. Nous voulons mourir pour nos droits.

UN SOLDAT. Meurs donc. *(Il le frappe.)*

L'ÉTUDIANT. Venge-moi, Roberto, et console ma mère. *(Il meurt.)*

(Les étudiants attaquent les soldats ; ils sortent en se battant.)

Vicissitudes théâtrales

Le drame n'avait pas été écrit pour être représenté. Musset n'a donc pas à se soucier des contraintes matérielles, et il en profite : les décors changent à chaque scène (38) ; on peut compter comme nécessaires une vingtaine de décors différents, certains sont complexes à réaliser sur le théâtre (par exemple, acte IV, sc. 7 : « le bord de l'Arno, un quai. On voit une longue suite de palais ») ; la distribution exige plus de 40 personnages parlants, et un nombre important de figurants pour les scènes de foule (« pages, soldats, moines, courtisans, bannis, écoliers, domestiques, bourgeois... », voir p. 33).

Censure

Les difficultés matérielles ne sont pourtant pas l'obstacle principal. Lorsque Paul de Musset, le frère d'Alfred, propose en 1863 à l'administrateur de la Comédie-Française une version remaniée, celui-ci reconnaît qu'elle se « rapproche des proportions du théâtre », mais ajoute : « il y a deux hommes dans la pièce dont l'un est atteint de priapisme [autrement dit, Alexandre est un obsédé sexuel], et dont l'autre s'est chargé d'affamer et de repaître cette manie [...]. L'imagination du spectateur est toujours attachée à cette vilaine chose ». C'est au nom de l'ordre moral qu'il ajourne sa décision ; et, l'année suivante, alors que P. de Musset est en pourparlers avec le théâtre de l'Odéon, la censure émet un avis défavorable : « Les débauches et les cruautés du jeune duc de Florence Alexandre Médicis, la discussion du droit d'assassiner un souverain dont les crimes et les iniquités crient vengeance, le meurtre même du prince par un de ses parents, type de dégradation et d'abrutissement, nous paraissent un spectacle dangereux à présenter au public. » La critique est donc à la fois morale et politique.

P. de Musset, désespérant de voir la pièce autorisée, écrit en 1874 : « Je n'espère plus voir la fin de cette hypocrisie imbécile qui ne peut rien supporter de fort ni de vraiment beau et qui se croit libérale parce qu'elle tolère des obscénités. »

Lorenzetta

Ce n'est qu'en décembre 1896 que *Lorenzaccio* fut enfin représenté, au théâtre de la Renaissance, par la volonté de Sarah Bernhardt. Elle a cinquante-deux ans, elle est au sommet de sa gloire, et a choisi d'interpréter, en travesti, le rôle de Lorenzo ! Elle s'était aussi adjoint un arrangeur, A. Dartois, qui tranche, ajoute, déplace à son gré (supprimant, entre autres, nombre de passages à portée politique...).

Succès, mais succès néfaste pour la pièce, car il établit deux préjugés qui eurent la vie longue : il fallait l'adapter (et, dès lors, tous les tripatouillages étaient admissibles) et Lorenzo devait être joué par un travesti féminin, seul capable d'incarner la « féminité » supposée du personnage.

Lorenzaccio

En 1952, le Théâtre national populaire inscrit la pièce à son répertoire pour le festival d'Avignon ; le texte ne subit alors que les modifications techniquement nécessaires, et c'est Gérard Philipe qui assume le rôle de Lorenzo, renouvelant la conception du personnage : « Il a une grâce juvénile et véritablement florentine, dans la silhouette, dans la démarche, mais là où il le faut, il accède vraiment à la grandeur » (*les Nouvelles littéraires,* 19 mars 1953).

Quelle mise en scène ?

En 1896, on s'était efforcé de réaliser une sorte de reconstitution somptueuse du XVIᵉ siècle (revu et corrigé selon l'esthétique « fin de siècle ») : façades en trompe l'œil, statues... Sarah Bernhardt portait un « pourpoint de soie noire bordé et garni de soie noir et or ; manche avec bouffants pareils au costume et second bouffant de surah noir : avant-bras en velours et soie noire tout brodé d'or et garni de pierreries vertes ; ceinture et porte-épée de cuir noir garni de motifs de bijouterie bleue et de pierres de couleur ».

Au T.N.P., si les costumes, bien que stylisés, restent évocateurs du XVIᵉ siècle, le décor se simplifie à l'extrême : « un système construit de deux estrades de hauteur inégale et de forme différente, qui s'emboîtent irrégulièrement l'une dans l'autre [...] Au lointain, un large plan incliné » devant un rideau noir.

Depuis les années 1960, les mises en scène hésitent entre ces deux options : stylisation et abstraction (qui ont l'avantage de régler élégamment le problème des changements de décor), pour accentuer la portée universelle du drame (G. Rétoré, T.E.P., 1969, et G. Lavaudant, Comédie-Française, 1989), ou reconstitution des fastes de la Renaissance, pour bénéficier de leur prestige et de l'effet « exotique » (F. Zeffirelli, Comédie-Française, 1976).

Le drame romantique

Conscients que leur succès d'écrivains et la reconnaissance du romantisme comme mouvement littéraire dominant passaient par la conquête de la scène — bastion du conservatisme littéraire, expression artistique qui combine une haute réputation dans ses formes nobles (la tragédie classique) et un large public potentiel —, les écrivains romantiques ont très vite fait du théâtre un enjeu essentiel. Il s'agissait de construire, théoriquement et pratiquement, puis de faire recevoir pour formes esthétiques légitimes, des œuvres théâtrales où s'expriment leurs positions « révolutionnaires » (esthétiquement, au moins).

Liberté

Au nom de la liberté, on va donc militer pour l'abolition du carcan des règles du théâtre classique français, en utilisant les modèles qu'apporte l'ouverture du monde littéraire français aux littératures étrangères, en particulier allemande (par le relais de Mme de Staël, *De l'Allemagne,* 1814) et anglaise (une troupe anglaise venue jouer Shakespeare à Paris en 1828, avec le célèbre acteur Kean, obtient pour la première fois un vif succès). L'Allemagne apporte non seulement des modèles (les œuvres de Goethe, mais surtout de Schiller), mais aussi des théories : en 1814 paraît en France le *Cours de littérature dramatique* de Schlegel, qui exprime nettement les points forts de la doctrine du nouveau théâtre. À sa suite, nombreux sont les écrivains français qui y vont de leur manifeste théorique : Stendhal, *Racine et Shakespeare* (l'alliance des deux noms est alors une provocation) en 1823 et 1825 ; V. Hugo, Préface de *Cromwell* (pièce restée injouée — injouable ? —, mais dont la préface est à la fois un corps de doctrine et une déclaration de guerre au théâtre classique) en 1827 ; A. de Vigny, *Lettre à lord*** sur la soirée du 24 octobre 1829 et un système dramatique*, et B. Constant, *Réflexions sur la tragédie*, en 1829.

Une nouvelle esthétique

Le drame

Ni tragédie ni comédie : on ne veut plus que le drame. Or, le terme de drame, dit V. Hugo, vient d'un mot grec qui veut dire action. Le drame doit produire : « dans sa conception, un tableau large de la vie, au lieu du tableau resserré de la catastrophe d'une intrigue ; dans sa composition, des caractères, non des rôles, des scènes paisibles sans drame, mêlées à des scènes comiques et tragiques ; dans son exécution, un style familier, comique, tragique et parfois épique » (A. de Vigny, *Lettre...*). Pourquoi ne s'intéresser qu'à quelques héros, quand c'est la société tout entière qu'il faut peindre : « C'est l'ensemble qu'il faut retracer, en même temps et aussi fortement que la figure isolée qui doit dominer le premier plan » (B. Constant, *Réflexions sur la tragédie*). « Tout ce qui existe dans le monde, dans l'histoire, dans la vie, dans l'homme, tout doit s'y réfléchir, mais sous la baguette magique de l'art » (V. Hugo, Préface de *Cromwell*). Non aux classifications, aux limitations, aux hiérarchies, aux contraintes du théâtre classique, au nom du vrai, du réel !

Contre les unités

Il faut refuser de se limiter à ce « lieu banal où nos tragédies ont la complaisance de venir se dérouler, où arrivent, on ne sait comment, les conspirateurs pour déclamer contre le tyran, le tyran pour déclamer contre les conspirateurs ». Quoi de plus ennuyeux que ces récits de « ce qui se fait dans le temple, dans le palais, dans la place publique de façon que souventes fois nous sommes tentés de leur crier : Vraiment !

mais conduisez-nous donc là-bas ! On s'y doit bien amuser, cela doit être beau à voir ! » (V. Hugo, *op. cit.*).

Quoi de plus ridicule que l'unité de temps ? « Toute action a sa durée propre comme son lieu particulier. Verser la même dose de temps à tous les événements ! » (V. Hugo, *op. cit.*).

Pour le mélange des genres

Quoi de plus faux que la séparation des genres ? L'homme est fait de contrastes, il est double, « l'un enchaîné par les appétits, les besoins et les passions, l'autre emporté sur les ailes de l'enthousiasme et de la rêverie ». Les hommes sont à la fois « bouffons et terribles, quelquefois terribles et bouffons tout ensemble. [...] Comme objectif auprès du sublime, comme moyen de contraste, le grotesque est selon nous, la plus riche source que la nature puisse offrir à l'art » (V. Hugo, *op. cit.*).

En conséquence, pourquoi se guinder dans le style noble ? Toute écriture, comique, épique, lyrique, etc., a sa place dans le drame. Et pourquoi se soucier d'équilibre, de symétrie, de mesure, de bienséances, quand la vie est si irrégulière et si violente ?

Pour un théâtre vraiment historique

Plus de sujets (faussement) antiques ! Pour être plus près de la vie réelle, de la nature, le drame doit être inspiré de l'histoire et s'en nourrir, s'en imprégner, la recréer grâce à une couleur locale introduite « dans le cœur même de l'œuvre ». Car « le lieu où telle catastrophe s'est passée en devient un témoin terrible et inséparable » (V. Hugo, *op. cit.*).

Au nom de l'art

Mais attention ! il ne s'agit pas de faire n'importe quoi ! Le théâtre romantique a en effet un concurrent fort sérieux (au moins sur le plan du succès public) dans le mélodrame qui fait alors courir les foules, et qui a fait siens tous ces préceptes (toutes ces recettes ?). Tout en jouant sur les grands effets émotionnels et visuels, il faut revendiquer de hautes ambitions artistiques afin de légitimer la prétention du drame à succéder à la tragédie classique comme une des plus hautes formes littéraires.

Les romantiques insisteront donc sur la nécessité de transfigurer la vie en art. Qu'est-ce que l'art ? « La vérité choisie », dit A. de Vigny. Le drame réfléchit la nature, mais il est « un miroir de concentration qui [...] ramasse et condense les rayons colorants » (V. Hugo, *op. cit.*). Du réel, il ne faut prendre que le **caractéristique**, sans oublier de l'agrémenter d'un peu de philosophie pour relever le tout : « C'est le temps du Drame de la Pensée » (A. de Vigny, Préface de *Chatterton,* 1835). C'est pourquoi V. Hugo, contrairement aux autres romantiques, continuera à préférer l'alexandrin à la prose (mais il écrira aussi des drames en prose).

La bataille d'*Hernani*

En 1829, A. Dumas obtient un triomphe avec *Henri III et sa cour* ; mais cela ne signifie pas que les romantiques ont vaincu la tragédie classique bien défendue par de célèbres acteurs (Talma, Mlle George, Mlle Mars).

Le soir de la première d'*Hernani* de V. Hugo, le 25 février 1830, les « Jeune-France » (G. de Nerval, T. Gautier, tous les jeunes loups de la littérature et du libéralisme) engagent une vraie bataille contre les « perruques », bourgeois installés, conservateurs et traditionalistes. Et après une soirée mémorable, où le spectacle était plus dans la salle que sur la scène, victoire resta aux libéraux, victoire qui précéda de peu la chute de la Restauration en juillet 1830. « Le romantisme n'est, à tout prendre, que le libéralisme en littérature » (V. Hugo, Préface d'*Hernani*).

Commence alors une période d'intense production, et de succès qu'il faut toujours cependant un peu conquérir, car il y eut aussi de retentissants échecs comme celui que connaît Musset avec *la Nuit vénitienne* (décembre 1830), ou des résistances politiques : en 1832, *Le roi s'amuse* de V. Hugo est interdit après la première représentation pour avoir mis sur scène un roi débauché et cruel (Louis-Philippe n'admet pas une telle dégradation de l'image royale).

Et Musset ?

C'est un fort piètre théoricien, et de plus il a une fâcheuse tendance à aimer le théâtre classique, refusant d'entrer en guerre contre ce dernier (provocation ? goût sincère ?). N'écrit-il pas, au plus fort de la bataille :
« Racine, rencontrant Shakespeare sur ma table,
S'endort près de Boileau qui leur a pardonné. »
(Les Secrètes Pensées de Raphaël, 1830.)

Mais *Lorenzaccio,* si on y ressent çà et là quelques souvenirs classiques (on en trouverait aussi chez les autres écrivains romantiques, qui en ont été nourris), est bien un drame romantique par le traitement du temps, la prolifération des lieux, le mélange des genres, des tons, des écritures, la violence des émotions et des actions...

« Les mots, les mots, les éternelles paroles... »

Du sublime au trivial

Le langage théâtral de Musset dans *Lorenzaccio* est extrêmement moderne par sa profonde variété : chacun des personnages, quel que soit son rang social, mêle continuellement dans sa parole le trivial et le sublime, le grotesque et le tragique ; la poésie, l'éloquence y côtoient le familier et le prosaïque... Qu'il s'agisse de Lorenzo (I, 1), de Philippe (II, 1), de l'orfèvre (I, 2), tous les registres se mêlent et se confondent.

Musset brise les classifications hiérarchisées des styles (sublime, moyen, bas) et des genres théâtraux, établies par les écrivains classiques du XVIIe siècle, qui font encore alors l'objet d'un consensus très large chez les écrivains et leur public. Musset est en cela plus audacieux que Victor Hugo, malgré les déclarations tonitruantes de ce dernier (« Je mis un bonnet rouge au vieux dictionnaire », *les Contemplations*, « Réponse à un acte d'accusation »).

Cette écriture si prosaïque et si littéraire à la fois, et qui néglige de caractériser le rang social des personnages par leur langage, pour leur accorder à chacun d'user de toutes les nuances de la langue, y compris les plus « poétiques », est tout à fait neuve en 1830.

Une langue métaphorique

L'aspect le plus étonnant de cette langue est qu'elle est continuellement envahie par la métaphore, à tel point qu'on aboutit parfois à une sorte d'incohérence logique, car les images s'entrechoquent et s'interpénètrent ; mais cette métaphorisation constante du discours lui donne à la fois une présence quasi physique et une dimension métaphysique. Ainsi les images récurrentes de l'impur (le masque, la statue, le spectre, le cadavre, la boue, le poison, le froid, la pâleur) lui donnent-elles une existence concrète obsédante ; l'épée et les noces, symboles de toute l'ambiguïté de Lorenzo, rendent celle-ci à la fois sensible et irréductible à toute explication logique, par toutes les harmoniques qu'éveillent ces images.

Parole lyrique et oppression sociale

Le spectateur est en même temps invité à jouir de cette parole foisonnante et à s'en méfier. Car *Lorenzaccio* ne cesse de montrer l'inutilité, la vacuité, la fausseté des mots. Tant de belles paroles, y compris celles que Lorenzo lui-même ne peut s'empêcher d'ajouter à son acte, pour rien ! C'est sur un beau discours officiel, aussi creux que possible, plein de cette éloquence que Lorenzo décrit comme une toupie d'enfant (II, 4), que se conclut la pièce. Ainsi nous apparaît la preuve que le « bavardage humain » (III, 3) n'est pas seulement inutile et faux ; il est aussi dangereux, car il est l'instrument de l'idéologie qui travaille à la permanence de l'ordre social tel qu'il est. Car il y a ceux qui parlent pour ne pas agir, et ceux qui jouent avec le langage, naïvement comme les précepteurs, ou machiavéliquement comme le cardinal Cibo : « Ceux qui mettent les mots sur leur enclume, et qui les tordent avec un marteau et une lime, ne réfléchissent pas toujours que ces mots représentent des pensées, et ces pensées des actions » (I, 3). Et c'est celui qui sait user à son profit de la fausseté du langage pour dominer, asservir, avilir, qui sera le seul vainqueur.

Lorenzaccio est aussi le drame des mots et des discours, aussi foisonnants qu'inutiles, aussi beaux que creux, aussi chatoyants que répugnants.

Lorenzaccio et la critique

Premières réactions

Il faut bien dire que la publication ne suscita guère de commentaires. Silence gêné ? Incompréhension ?

Dans les tentatives plus fortes qu'il a faites, comme *André del Sarto* et *Lorenzaccio,* A. de Musset a moins réussi [...] Mais, jusque dans ces ouvrages de moindre réussite, on pouvait admirer la sève, bien des jets d'une superbe vigueur, de riches promesses, et dire enfin, comme, dans son *Lorenzaccio,* Valori dit à Tebaldeo, le jeune peintre : « Sans compliment, cela est beau ; non pas du premier mérite, il est vrai : pourquoi flatterais-je un homme qui ne se flatte pas lui-même ? »

> Sainte-Beuve, *la Revue des Deux Mondes,* 15 février 1836.

Musset a lu Shakespeare, en a été enivré et en a compris la partie de psychologie raffinée et tourmentée, toute la partie aussi de fantaisie libre, vagabonde et charmante.

> Émile Faguet, *Études sur le XIXᵉ siècle,* 1887.

Après la première représentation

Lorenzaccio ne fut joué qu'en 1896. Ce fut pour certains l'occasion de découvrir la pièce, mais, cinq ans plus tard, quelques-uns doutaient toujours qu'elle puisse être mise en scène.

Lorenzaccio procède d'une étude sérieuse, approfondie, passionnée de la Florence du XVIᵉ siècle ; Musset a beaucoup emprunté à Varchi, mais il a interprété, commenté, illustré les documents qu'il utilisait ; il a donné aux hommes et aux choses une physionomie vivante, expressive, troublante même. Tous les rôles, et surtout le rôle principal, ont pris sous sa plume un relief saisissant. L'intérêt s'éparpille bien encore un peu, des disparates et des longueurs se montrent çà et là, et fût-il matériellement jouable, le drame lasserait l'attention d'un spectateur. Prenons-le pour ce qu'il est, c'est-à-dire pour une étude destinée à la lecture, songeons que l'auteur n'a que vingt-trois ans, qu'il n'a guère eu le temps de s'exercer au théâtre, qu'il écrit la pièce en quelques mois, et nous admirerons sans réserve un génie capable d'une telle force d'analyse et d'une pareille puissance d'évocation. *Lorenzaccio* est sans contredit le plus étonnant de nos drames historiques.

Léon Lafoscade, le Théâtre d'Alfred de Musset, Nizet, 1901.

Un drame romantique réussi ?

Cette pièce évoque une époque de fermentation sociale, sans pourtant y sacrifier l'étude d'une âme d'homme ; elle est diverse, grouillante, et pourtant, nous ne perdons jamais de vue le problème essentiel ni le personnage central ; elle est excessive comme la jeunesse, et cependant semée de réflexions qui prouvent, chez un auteur de vingt-trois ans, une expérience comme on n'en trouve à l'habitude que chez les écrivains déjà mûrs.

Pierre Gastinel, le Romantisme d'Alfred de Musset,
Hachette, 1933.

De l'exubérante floraison qui envahit la scène française à l'époque romantique, tout est aujourd'hui desséché ou pâli sauf le théâtre d'Alfred de Musset. Alors que ses camarades, s'efforçant de suivre Shakespeare, n'en présentent souvent qu'une imitation dérisoire, Musset marie en se jouant le génie élisabéthain à celui de Marivaux et, du même coup, réalise la fusion de ce qu'il y a de meilleur dans le drame de son temps et la comédie du siècle précédent.

René Clair, Préface au Théâtre de Musset,
Librairie générale française, 1964.

L'amertume d'un dramaturge désabusé

Musset a mis dans ce drame toute l'amertume d'un libéral désabusé qui, après avoir acclamé le renversement d'une dynastie pourrie en faveur d'une poussée plus saine et vigoureuse de la vieille souche royale, a vu la « glorieuse » révolution de Juillet s'épuiser en odieuses répressions et sombrer devant l'égoïsme cauteleux, mais triomphant, de la haute bourgeoisie.

H.-J. Hunt, *Alfred de Musset et la révolution de Juillet*,
Mercure de France, 1934.

À travers les Médicis, Alfred de Musset vise et atteint Bourbons et Orléans, et ceux qui les soutiennent, et l'alliance réactionnaire du Trône avec l'Autel, et les interventionnistes étrangers, la Sainte-Alliance de César et du Vatican. Il montre un prince infâme ; il montre les contradictions surgissant jusque dans les classes dirigeantes [...], agissant jusque dans la tyrannie régnante, puisque Lorenzo, c'est un Médicis.

Henri Lefebvre, *Alfred de Musset dramaturge*,
l'Arche, 1955.

Le héros

Un Hamlet français

Le héros de Musset est vraiment pathétique en ce que, poursuivant l'exécution de ses desseins, il en découvre l'inanité, et qu'il marche désabusé au but marqué d'abord par son enthousiasme [...] Il y a bien, çà et là, des indécisions et quelques faux traits dans cette esquisse d'un écolier prodigieux. La pensée de Musset, incertaine et charmante, glisse et se dissipe sans cesse. Le drame, tel qu'il fut écrit, avec une abondance heureuse, a des obscurités, et le personnage principal ne s'explique pas toujours. Il n'en paraît que plus vivant.

Anatole France, *Revue de Paris*,
15 décembre 1896.

Navrante histoire d'une âme toute de désir, morte d'avoir pris pour vertu le songe de son orgueil et de s'être aimée uniquement elle-même quand elle croyait aimer le devoir théâtral et fastueux que son caprice s'était inventé... je ne pense pas exagérer en disant que ce personnage de Lorenzaccio est aussi riche de significations qu'un Faust ou qu'un Hamlet, et que, comme eux, il figure dans une fable particulière l'homme, l'éternel inquiet et l'éternel déçu, sous un de ses plus larges aspects. Et ce personnage est une créature vivante, il est de chair, de sang, de nerfs et de bile.

Jules Lemaître,
Impressions de théâtre, 1898.

Ce que dit la pièce, dont le rapport à la situation contemporaine est étroit, c'est l'impossibilité pour le héros ou pour la cité de se sauver quand la dégradation est trop profonde, quand il n'y a plus de groupe actif, de peuple pour défendre ou recueillir la liberté. Romantique non seulement par ses audaces formelles (les trois unités sont bafouées) mais par le centrage autour d'un héros, ce « Hamlet français » peut aussi être tenu pour l'autocritique du romantisme : le rêve de l'action héroïque est non seulement montré inefficace, mais sapé à la base par l'inadéquation entre l'« épaisseur » du héros et la faiblesse du monde qui l'entoure.

Anne Ubersfeld, in *le Théâtre en France*, tome 2,
Armand Colin, 1989.

Un homme qui est tous les hommes

Lorenzaccio ne raconte l'histoire que d'un seul homme qui les « est » tous. On comprend peut-être mieux alors ce qu'on a pu nommer « hésitation », « atermoiements », voire « mollesse » de Lorenzo à tuer le duc : il lui fallait simplement laisser les autres lui-même s'éliminer tout seuls (que de meurtres !), laisser se déposer, comme l'on fait d'armes, de costumes ou de masques, la part Pierre Strozzi qu'il y a en lui, la part marquise, la part Philippe, etc. Alors et alors seulement la part Lorenzo de lui-même, si l'on ose dire, peut aller tuer celui qu'il fallait tuer.

Mais voici : cette part de lui-même, littéralement, ne tient plus à rien, dans les deux sens du terme : elle va tomber, et elle n'a plus de désir. C'est une force vide, une ombre, un spectre ; elle est ce qu'elle a finalement toujours été : un titre. Le nom d'un vertige, d'un trou. Une fatigue.

Le meurtre n'a plus de goût pour le meurtrier lui-même, il est émoussé, épuisé, presque vide. Ni politique vraiment (Lorenzo n'est pas Brutus), ni vengeur (« Que m'avait fait cet homme ? »), il n'a plus de sens. Mais il n'est pas gratuit, absurde, de cette absurdité qui n'est que l'envers du sens (Lorenzo n'est pas Raskolnikov). Non, il est in-sensé, c'est-à-dire qu'il se situe au-delà du sens, au-delà de la loi, et donc de sa transgression : pur. Il ne renvoie à rien, il ne « veut » rien dire.

Daniel Mesguich, Préface de *Lorenzaccio*,
Librairie générale française, 1986.

À la Comédie-Française, en 1989

Seuls émergent trois protagonistes, Alexandre de Médicis (Richard Fontana), le cardinal Cibo (Jean-Luc Boutté) et Lorenzo, qui, chacun à sa manière, tirent les ficelles d'intrigues à la fois miteuses et cruelles. On pourrait se croire à la cour d'un Noriega, d'un Ceausescu, de ces démagogues enfermés dans leur bunker-palace, coupés de ce qui se passe dehors et qui se prétendent protecteurs des arts, comme pour accéder à la considération. Florence la belle est loin. [...]

Richard Fontana est un condottiere plus redoutable que ridicule, une force de la nature, un boulimique, un reître odieux autant que séduisant, un bâtard qui n'en est pas revenu d'être là où il est, vaguement culpabilisé par les forfanteries, le cynisme criminel cachent à peine les inquiétudes. Surtout, il est fasciné par le bel adolescent né avec une cuiller d'argent dans la bouche, réellement raffiné, cultivé, naturellement pervers, et qui, lui, est fasciné par la brutalité épicurienne de l'homme fait pour agir et pour commander. [...] Entre Alexandre et lui existe une attraction qui les dépasse, dont ils ne peuvent se défaire, dont ils pressentent le caractère fatal et dont le cardinal Cibo, qui guette et surveille, saura tirer profit. Jean-

Luc Boutté, magnifique, perdu dans la pourpre, visage maigre, œil rapace, donne le juste ton d'insolence, la juste distance d'ironie envers cette intrigue échevelée, déchirante, et par moments vertigineuse.

Colette Godard, « Lorenzaccio, l'oiseau noir »,
le Monde, 28 octobre 1989.

Au début des années soixante-dix, le terrorisme, le meurtre politique étaient tout à fait d'actualité. Aujourd'hui, ce n'est plus le cas, et j'ai maintenant tendance à regarder le meurtre du duc par Lorenzo sous l'angle du fait divers. Un fait divers pasolinien, sur fond de rituel et d'homosexualité. J'ai le sentiment qu'il y a, chez le duc, un désir de mort, un désir de se faire tuer par Lorenzo. Le sens politique du meurtre s'efface derrière sa charge sentimentale. [...] Je voudrais [...] faire un spectacle assez pur, plutôt dépouillé, qui repousserait la « couleur locale » hors des limites de la scène, quelque chose à la fois de janséniste et de pervers, comme une suite de gros plans sur les personnages, qui n'auraient à se mouvoir que dans un espace quasi abstrait.

Georges Lavaudant,
Revue de la Comédie-Française n° 179, octobre 1989.

Avant ou après la lecture

Dissertations et exposés

1. Montrer que *Lorenzaccio* appartient au genre du drame romantique (voir p. 235).

2. *Lorenzaccio* est-il conforme au drame tel que le souhaitait A. de Vigny : « dans sa conception, un tableau large de la vie, au lieu du tableau resserré de la catastrophe d'une intrigue ; dans sa composition, des caractères, non des rôles, des scènes paisibles sans drame, mêlées à des scènes comiques et tragiques ; dans son exécution, un style familier, comique, tragique et parfois épique » *(Lettre à lord*** sur la soirée du 24 octobre 1829 et un système dramatique)* ?

3. Le bouffon, le grotesque, le comique : leur présence dans *Lorenzaccio* paraît-elle nécessaire au drame ou surajoutée par un auteur soucieux d'être en conformité avec l'esthétique à la mode ? Comparer avec Victor Hugo (notamment *Ruy Blas* et le personnage de Don César de Bazan).

4. Étudier la transformation de la chronique de Varchi (voir p. 224) en drame romantique.

5. Montrer que Florence est essentielle au drame de *Lorenzaccio*.

6. Le rôle de la nature dans le drame.

7. Quelle mise en scène adopter pour *Lorenzaccio* ? Définir les principes directeurs de celle-ci.

8. Discuter et commenter ce jugement de Théophile Gautier : « une admirable étude dramatique [...], une magnifique étude philosophique, d'un comique terrible et douloureux » (*Histoire de l'art dramatique en France,* 1839).

9. La conception de l'Histoire et du peuple :
a) analysez les différentes formes de gouvernement évoquées dans la pièce. Un gouvernement juste paraît-il possible ?

b) quels sont les rapports présentés dans *Lorenzaccio* entre l'Histoire et l'individu ?

10. Les intellectuels et l'action : peut-on penser, comme Anne Ubersfeld, que *Lorenzaccio* est un « examen critique des conditions qui permettent ou ne permettent pas au régicide d'aboutir à une transformation révolutionnaire » ?

11. Le rôle des mythes dans *Lorenzaccio* (Oreste, Brutus, Hamlet, la statue du Commandeur de *Dom Juan,* etc.).

12. Le pur et l'impur dans *Lorenzaccio :* symbolique et signification.

13. Peut-on dire de Lorenzo qu'il est un hypocrite (parce qu'il a choisi un masque) ? Comparer avec d'autres types d'hypocrites (Dom Juan, Tartuffe, etc.).

14. Le personnage de Philippe.

15. Analyser les rapports entre le duc et Lorenzo.

16. Les personnages féminins : leurs caractéristiques, leur rôle dans le drame.

17. Le personnage de Lorenzo :
a) est-il « aussi riche de significations qu'un Faust ou qu'un Hamlet » (J. Lemaître, voir p. 245) ?
b) discuter et commenter ces propos de H. Lefebvre (voir p. 244) : « Dans *Lorenzaccio* les autres personnages principaux déploient devant nous, spectateurs, les aspects du héros principal, et ses contradictions : Philippe Strozzi correspond à son humanisme, le duc à la souillure qui l'habite et au mal qui le hante, Catherine à son idée de la pureté et de l'amour, la marquise Cibo à son amour de la patrie, Pierre Strozzi à son courage. »

Commentaires composés

1. Acte I, scène 3 : depuis « Étiez-vous hier à la noce des Nasi ? » (l. 57), jusqu'à « ... s'il s'endormait sur nos pauvres

toits » (l. 90). Étudier particulièrement le langage employé comme instrument de domination et de théâtre, et le rôle historique de l'Église.

2. Acte I, scène 4 : depuis « Allons donc, vous me mettriez en colère ! » (l. 68), jusqu'à « ... voilà sire Maurice qui te cherche dispute » (l. 93-94). Analyser notamment le genre du portrait au théâtre.

3. Acte II, scène 1 : depuis « Dix citoyens bannis... » (l. 1), jusqu'à « ... quand il traverse l'air » (l. 29). Étudier en particulier la réflexion historique et philosophique, et les moyens de théâtralisation propres à ce passage.

4. Acte II, scène 2 : depuis « Tu parles comme un élève de Raphaël » (l. 78), jusqu'à « ... les terres corrompues engendrent le blé céleste » (l. 129-130). Comment sont présentées la fonction et les conditions de l'art ? Analyser notamment les techniques du dialogue et de la provocation.

5. Acte II, scène 3 : depuis « Cela est inouï » (l. 136), jusqu'à « Est-ce lui ? » (l. 160). Étudier le monologue romantique d'une âme en proie au doute.

6. Acte III, scène 3 : depuis « Ma jeunesse a été pure comme l'or » (l. 216), jusqu'à « ... il faut que je sois un Brutus » (l. 248). Comment devient-on régicide ? Insister sur le rôle des mythes antiques et littéraires.

7. Acte III, scène 3 : depuis « Tu me demandes pourquoi je tue Alexandre ? » (l. 456), jusqu'à « ... devant le tribunal de ma volonté » (l. 496). Quelles sont les motivations de Lorenzo ? Étudier en particulier le lyrisme et l'usage des métaphores.

8. Acte IV, scène 9 (ensemble de la scène). Analyser notamment le monologue intérieur, les associations d'idées, les symboles et les sensations évoquées.

9. Acte V, scène 1 (ensemble de la scène). Travailler en particulier sur le comique de la médiocrité et la conception de l'Histoire.

Bibliographie, discographie

Édition

Théâtre complet d'Alfred de Musset, édition établie et annotée par Simon Jeune, Gallimard, coll. « Bibliothèque de la Pléiade », 1990.

Musset

M. Allem, « Alfred de Musset », in *la Nouvelle Revue critique,* 1940.

Histoire littéraire de la France, ouvrage collectif publié sous la direction de P. Abraham et R. Desné, Éditions sociales, 1977. Un article de C. Duchet est consacré à A. de Musset dans le tome 8 (1830-1848).

P. Gastinel, *le Romantisme d'Alfred de Musset,* Hachette, 1933.

G. Poulet, *Études sur le temps humain, II : la distance intérieure,* Plon, 1952. Un chapitre est consacré à A. de Musset.

J.-P. Richard, *Études sur le romantisme,* le Seuil, 1970. Un chapitre est consacré à A. de Musset.

P. Soupault, *Alfred de Musset,* Seghers, coll. « Poètes d'aujour-d'hui », 1966.

M. Toesca, *A. de Musset ou l'Amour de la mort,* Hachette, 1970.

Le théâtre romantique

C. Dédéyan, *le Drame romantique en Europe,* SEDES, 1982.

L. Lafoscade, *le Théâtre d'Alfred de Musset,* Nizet, 1901, rééd. Hachette, 1966.

Lorenzaccio

J. Bem, « *Lorenzaccio* entre l'Histoire et le fantasme », in *Poétique,* nov. 1980.

E.-L. Gans, *Musset et le « drame tragique »,* Corti, 1974.

R. Horville, *Lorenzaccio,* Hatier, coll. « Profil d'une œuvre », 1987.

B. Masson, *Musset et son double : lecture de « Lorenzaccio »,*
P.U.F., 1986.

J.-M. Piemme, « *Lorenzaccio :* impasse d'une idéologie », in la
revue *Romantisme,* 1971.

J.-M. Thomasseau, *Alfred de Musset, Lorenzaccio,* P.U.F., 1986.

A. Ubersfeld, « Révolution et topique de la Cité », in *Littérature,*
Larousse, 1976.

Écouter *Lorenzaccio*

Un enregistrement intégral de la pièce, jouée par la troupe
du T.N.P. en 1952 (J. Deschamps, G. Philipe, D. Sorano,
J. Vilar, etc.), existe en disque et cassette « Audivis », Hachette,
coll. « Vie du théâtre ».

L'enregistrement *Gérard Philipe et les grands moments du T.N.P.
de Jean Vilar* propose, entre autres, des extraits de *Lorenzaccio,*
des *Caprices de Marianne,* de *On ne badine pas avec l'amour,*
etc. Musique de Maurice Jarre, C.D. ADES.

Petit dictionnaire pour commenter *Lorenzaccio*

antithèse *(n.f.)* : opposition de deux pensées ou de deux expressions que l'on rapproche pour souligner leur contraste.

bouffon *(adj.)* : ce qui fait rire par les procédés de la farce (clowneries, plaisanteries, etc.).

burlesque *(n.m. et adj.)* : 1. genre littéraire dans lequel un sujet sérieux est traité de manière parodique. 2. d'un comique grossier, voire trivial.

casuistique *(n.f.)* : partie de la théologie morale qui s'occupe des cas de conscience. Souvent employé avec une valeur péjorative, pour désigner une manière subtile et hypocrite de ruser avec sa conscience et la morale religieuse (voir II, 3).

cénacle *(n.m.)* : réunion d'un petit groupe d'artistes partageant les mêmes idées, les mêmes conceptions esthétiques. Le « Cénacle » désigne les auteurs regroupés autour de V. Hugo.

connotation *(n.f.)* : valeurs et références sociales, historiques, psychiques, affectives qui s'ajoutent à la signification propre du mot (« bonnet phrygien » évoque la révolution ; « mignon », l'homosexualité ; etc.).

dandy *(n.m.)* : le dandy allie à l'élégance raffinée dans la mise et les manières, et à une vie très mondaine, un ennui existentiel profond.

dénouement *(n.m.)* : ce qui termine, conclut une intrigue.

drame *(n.m.)* : 1. genre théâtral. 2. pièce de théâtre d'un sujet moins élevé que la tragédie, représentant une action violente, douloureuse (voir aussi p. 235).

épopée *(n.f.)* : poème où le merveilleux se mêle au vrai, la légende à l'histoire, et dont le but est de célébrer, en un style élevé, un héros ou un haut fait.

esthétique *(n.f.)* : science du beau dans l'art, conception particulière du beau, de l'art.

exposition *(n.f.)* : au théâtre, ensemble de scènes consacrées à la présentation des personnages et des circonstances de l'action, ainsi que des événements antérieurs qui l'ont préparée.

grotesque *(adj.)* : ce qui fait rire par son apparence bizarre, caricaturale, extravagante.

harangue *(n.f.)* : discours solennel prononcé devant une assemblée ou un haut personnage (évoque un discours moralisateur ennuyeux et interminable).

harmonique *(n.f.)* : résonance, écho, rappel, prolongement (plus ou moins décalé) d'un thème.

idéologie *(n.f.)* : ensemble des idées, des croyances et des doctrines (religion, politique, esthétique) propres à une époque, une société, une classe. Toute œuvre d'art est imprégnée d'idéologie.

intertexte *(n.m.)* : texte en rapport avec le texte étudié. Cela peut être une source, l'objet d'une réécriture, d'une imitation, d'une ressemblance, d'une parenté culturelle ou esthétique.

intrigue *(n.f.)* : ensemble des événements qui forment l'action (l'intrigue se divise en diverses péripéties).

ironie *(n.f.)* : manière de se moquer de quelqu'un ou de quelque chose en disant le contraire de ce que l'on veut dire. Au sens étroit, c'est l'antiphrase, au sens large, tous les procédés de moquerie verbaux ou non verbaux (par exemple la contradiction entre deux situations rapprochées).

livraison *(n.f.)* : chaque partie d'un ouvrage que l'on publie par volumes ou par fascicules livrables périodiquement (terme de librairie).

lyrique *(adj.)* : propre à la poésie qui exprime des émotions, des sentiments intimes, au moyen d'images et de rythmes capables de les transmettre au lecteur.

mélodrame *(n.m.)* : drame populaire que caractérisent

l'invraisemblance de l'intrigue et des situations, la multiplicité des épisodes violents et sanglants, l'outrance manichéenne des caractères et des sentiments, destinés à produire de très fortes émotions chez le spectateur. Nombreuses variations de décor et style grandiloquent renforcent le tout.

monologue *(n.m.)* : scène où le personnage parle seul en scène et qui est à distinguer de la réplique et de la tirade (voir IV, 9).

nœud *(n.m.)* : au théâtre, point culminant de l'action, centre de l'intrigue.

occurrence *(n.f.)* : apparition d'un fait linguistique (mot, son, tournure, etc.) dans un texte.

parodie *(n.f.)* : imitation destinée à faire rire d'une œuvre sérieuse.

récurrent *(adj.)* : un thème récurrent est un thème qui réapparaît par intervalles et dont chaque réapparition est fonction des apparitions précédentes. Ainsi, l'épée est d'abord ce que Lorenzo ne peut porter (supporter), puis elle devient l'instrument de sa libération (voir I, 4 et III, 3).

registre *(n.m.)* : tonalité propre à une œuvre (comparée aux différentes hauteurs de son des voix de chanteur).

réplique *(n.f.)* : chaque élément du dialogue dit par un acteur.

revue *(n.f.)* : ce peut être un article de commentaires et de réflexions (chronique) sur des sujets d'actualité.

scène historique : comme genre littéraire, écriture théâtrale (non destinée à la représentation) d'un fait historique réel que l'on cherche à recréer avec exactitude.

sublime *(adj.)* : dans l'esthétique classique, se dit du style et du ton propres aux sujets et aux genres élevés (éloquence, épopée, tragédie). S'oppose à « moyen » (comédie) et à « bas » (farce).

tirade *(n.f.)* : longue suite de vers ou de phrases prononcée par le même personnage.

Collection fondée par Félix Guirand en 1933, poursuivie par Léon Lejealle de 1945 à 1968 puis par Jacques Demongin jusqu'en 1987.

Conception éditoriale : Noëlle Degoud.
Conception graphique : François Weil.
Coordination éditoriale : Emmanuelle Fillion,
Marianne Briault et Marie-Jeanne Miniscloux.
Collaboration rédactionnelle : Catherine Le Bihan.
Coordination de fabrication : Marlène Delbeken.
Documentation iconographique : Nicole Laguigné.
Schéma p. 8 : Thierry Chauchat et Jean-Marc Pau.
Arbre généalogique p. 12 et 13 : Nicole Vilette.

Sources des illustrations
Agence de presse Bernand : p. 185, 195.
Bibliothèque nationale : p. 25.
Élise Palix : p. 4, 207.
Marc et Brigitte Enguérand : p. 151.
Enguérand M.P.B. : p. 106.
Giraudon : p. 30.
Giraudon-Alinari : p. 56.
Larousse : p. 10 (photo J.-A. Bricet), 34 (© ADAGP, Paris, 1991),
40, 174.
Lauros-Giraudon : p. 6.
Roger-Viollet : p. 15.
Scala : p. 179.
Agnès Varda : p. 125.

COMPOSITION : SCP BORDEAUX.
MAME IMPRIMEURS. – 37000 TOURS. – N° 27584
Dépôt légal : janvier 1991. N° de série Éditeur : 16395.
IMPRIMÉ EN FRANCE *(Printed in France)*. 871 343 K. Janvier 1992